EL DON

Richard Paul Evans

EL DON

Traducción de Montserrat Batista

Umbriel Editores

Argentina • Chile • Colombia • España
Estados Unidos • México • Uruguay • Venezuela

Título original: *The Gift*
Editor original: Simon & Schuster, New York
Traducción: Montserrat Batista Pegueroles

Aribau, 142, pral. – 08036 Barcelona
www.umbrieleditores.com

ISBN: 978-84-89367-53-1
Depósito legal: M - 46.039 - 2008

Fotocomposición: Ediciones Urano, S.A.
Impreso por Dédalo offset, S.L. – Vázquez Menchaca, 9
Polígono Industrial de Argales – 47008 Valladolid

Impreso en España – *Printed in Spain*

AGRADECIMIENTOS

En primer lugar, doy gracias a mis fieles lectores, que todo lo hacen posible.

Me gustaría dar las gracias a mis socios habituales; a mi agente Laurie Liss por su prolongado sufrimiento, a mi editora Sydny Miner por su habitual sabiduría y aliento, a mi correctora de manuscritos Gypsy da Silva por su perspicacia y a mis directores editoriales David Rosenthal y Carolyn Reidy por su apoyo constante y su brillantez. Doy las gracias a mis ayudantes personales Miche Barbosa y Chrystal Checketts Hodges, así como a Heather McVey y a Barry Evans. Tengo suerte de estar rodeado de tan extraordinaria pandilla.

Doy las gracias muy especialmente a mi asesora literaria Karen Roylance por su duro trabajo, perspicacia, entusiasmo e inquebrantable ánimo. (Y por ir a buscar coca-colas a medianoche.) A Paul y a Lynnette Cardall (PaulCardall.com), al teniente Court Williams, de la oficina del *sheriff* del condado de Santa Bárbara (Elvis ha abandonado el edificio), a A'lynn Berg, notaria, y a Steven Ward, abogado.

También me gustaría dar las gracias a mi socio, el escritor de superventas Robert G. Allen, y al resto de los fundadores de Book-Wise: Andy Compas, Mark Hurst, Dennis Webb y Blair Williams. Asimismo, quiero dar las gracias a todos nuestros colegas de Book-Wise del mundo: el grupo más ilustrado del planeta.

Y sobre todo a Keri. Sigues siendo mi aliento y mi hogar.

Para Michael

NOTA DEL AUTOR

El protagonista de este libro, Nathan Hurst, tiene el síndrome de Tourette y un trastorno de tics nerviosos crónico. El síndrome de Tourette es un trastorno neurológico hereditario caracterizado por tics físicos y vocales. Yo también tengo este síndrome. Los síntomas que describo en el libro se basan en los míos.

Toda buena dádiva y todo don perfecto descienden de lo alto…

⊠ SANTIAGO 1, 17 ⊠

NAVIDAD DE 2006

Es la noche de Navidad. En casa todo el mundo está durmiendo menos yo. Desde la ventana de mi estudio veo que ha empezado a nevar, pero no con intensidad. Parece como si una especie de cortina cayera sobre el día.

La paz del momento impregna mis pensamientos. Tomo asiento con un lápiz y un bloc. Estoy preparado para escribir una historia. No es una historia navideña. La Navidad ya casi ha terminado, se extingue como el fuego de mi chimenea, compartiendo su luz y calor postreros. Mañana retiraremos los adornos y decoraciones y guardaremos la Navidad en cajas y cubos. Pero primero nuestra familia visitará un cementerio situado a una corta distancia en coche de nuestra casa. Quitaré la nieve de una lápida y sobre la losa de mármol dejaré una flor de Pascua plantada en una maceta. Abrazaré a mi esposa y a mi hija y recordaremos a un niño pequeño.

Las nuestras no serán las primeras huellas en la nieve, ni las primeras flores allí depositadas. Habrá dos ramos esperando. Están ahí todos los años.

Puede que usted ya conozca un poco nuestra historia, o que crea conocerla. Algunas cosas salieron en las noticias. Sin embargo, lo que oyó fueron tan sólo unos cuantos compases de una canción, y mal tocados, además. Esta noche me siento abrumado por ello. Creo que es hora de que el mundo sepa toda la verdad, o al menos toda la que yo pueda contarle. Así pues, esta noche empezaré a poner nuestra historia por escrito para las generaciones futuras. Sé que muchos no la creerán. Puede que usted no la crea. No importa. Yo estaba allí. Conocí al niño y sé de lo que era capaz. Y hay cosas que son ciertas tanto si uno quiere creerlas como si no.

CAPÍTULO

Uno

No creo que la sociedad se haya vuelto más tolerante.
Sólo cambia de objetivos.

DIARIO DE NATHAN HURST

Nací con el síndrome de Tourette. Si es usted como la mayoría de la gente, no sabrá muy bien lo que es el Tourette, pero se imaginará que tiene algo que ver con gritar obscenidades en público. Tendría razón en un diez por ciento.

El síndrome de Tourette es un trastorno neurológico caracterizado por movimientos repetitivos e involuntarios, cosas que incomodan a la gente «normal». Algunos de los afectados, aproximadamente un diez por ciento, maldecimos en público. Algunos ladramos o proferimos otros sonidos animales. Yo tengo tics. He tenido más de veinte manifestaciones distintas, desde tics vocales como carraspear y tragar saliva ruidosamente a parpadear, encogerme de hombros, sacudir la cabeza y hacer muecas de manera reiterada. El último tic lo tuve en las manos y, aunque me dolía, sigo prefiriéndolo a un tic facial, porque el rostro no puedes esconderlo en el bolsillo.

También tengo el impulso irresistible de escupir en la cara a las personas famosas. Lo cierto es que nunca le he escupido en la cara a nadie, probablemente porque no conozco a nadie famoso, pero el impulso está presente. En una ocasión vi a Tony Danza* en un restaurante de Park City y me tapé la boca con la mano sólo por si acaso.

---

* Actor norteamericano de series de televisión. *(N. de la T.)*

El más peculiar de mis síntomas es la necesidad que tengo de tocar objetos puntiagudos. Si rebuscarais en mis bolsillos encontraríais billetes de dólar doblados de manera que acaben en punta. El papel moneda contiene lino, lo que le da una especial agudeza a las puntas. Pero cualquier cosa puntiaguda me reconforta. En mi mesa de trabajo siempre tengo una docena o más de lápices muy afilados.

A veces la gente me pregunta si los tics me resultan dolorosos. Yo les invito a que hagan este experimento: que parpadeen sesenta veces en un minuto y vean qué se siente en los ojos. Ahora háganlo durante dieciséis horas seguidas. De niño, recuerdo haberme sujetado la cara por la noche porque no podía conseguir que los párpados dejaran de moverse y me dolía.

No obstante, más doloroso que el daño físico era el daño social, como estar solo en la cafetería del instituto porque nadie quiere sentarse junto a una persona que hace ruidos raros. La expresión de pánico en el rostro de una chica cuando tu cara hace gimnasia mientras le pides una cita. (Normalmente la ansiedad agrava los tics, ¡y cómo no vas a ponerte nervioso al pedirle a una chica que salga contigo!) O tener a todos los niños del campamento de verano a tu alrededor porque quieren ver lo que hará «el bicho raro» a continuación. Si aprendí a ser reservado, fue por un motivo.

No es de extrañar que leyera mucho. Los libros son los amigos más tolerantes. En aquella época había unas obras magníficas. *Old Yeller, Andy Buckram's Tin Men, Where the Red Fern Grows, The Flying Hockey Stick.* Sin embargo, mi mayor pasión eran las revistas de historietas. No los tebeos para niños como *Archie* y *Torombolo*, sino las de Marvel, cuyos héroes eran todo músculos abultados bajo sus ceñidos disfraces. Personajes como Superman, el Capitán América, el Hombre de Hierro o el Increíble Hulk. Leía mis revistas antes y después de la escuela y hasta bien entrada la noche y me quedaba dormido con la luz encendida. Siempre soñaba con ser alguien especial: capaz de atravesar las paredes (o de hacérselas atravesar de un golpe a alguien), de volar, de empezar a arder o de envolverme en un campo de fuerza para ponerme a salvo de cualquier cosa con la que los malos pudieran atacarme. El poder que más deseaba era el de la invisibilidad, lo cual resulta revelador.

En cierto modo conseguí mi deseo cuando tenía ocho años. Me volví invisible. No para todo el mundo. Sólo para las personas que importaban.

El Tourette no fue lo peor de mi niñez. Cinco semanas después de mi octavo cumpleaños, el día de Navidad, una tragedia destruyó a mi familia. Al cabo de diez meses mis padres presentaron una demanda de divorcio que, sin embargo, nunca se ultimó. Mi padre se quitó la vida el veinticinco de diciembre, cuando se cumplía un año de la tragedia.

Después de aquello mi madre ya no volvió a estar bien, ni física ni emocionalmente. Se pasaba casi todo el tiempo en la cama. Ya no volvió a abrazarme ni a besarme. Fue por aquel entonces cuando empezaron mis tics.

El mes que cumplí los dieciséis me fui de casa. Abandoné los estudios, amontoné todas mis posesiones en la parte trasera de un Ford Pinto y conduje hasta Utah para vivir con un antiguo compañero de clase. Ni siquiera le dije a mi madre que me marchaba. No había razón para hacerlo. Yo rara vez paraba por casa, y cuando estaba allí, nunca hablábamos.

Usted podría suponer que fui víctima de lo que fuera que ocurriera, pero se equivocaría. Fue algo que hice yo. Supongo que es por eso por lo que en realidad no culpo a mi madre por la manera en que me trataba. Ni a mi padre por abandonar la vida por la puerta de atrás. Era culpa mía que mi vida fuera un desastre. Y el día de Navidad sólo era otro más del calendario. Nunca pensé que pudiera ser de otro modo hasta que conocí a Addison, Elizabeth y Collin.

La Biblia dice que Dios ha elegido las cosas débiles del mundo para confundir a las poderosas. Mi historia trata de una de las cosas débiles de Dios. Su nombre es Collin, un niño precioso y frágil con un don muy especial.

CAPÍTULO

Dos

Anoche tuve un sueño curioso. Vagaba de noche por un sombrío laberinto de árboles muertos y pantanos. En la oscuridad oía los gruñidos y rugidos de entes feroces. Y en la distancia percibí el grito de un niño, lo cual también me asustó. De pronto una mujer me tomó de la mano. Aunque la suya era más pequeña que la mía y muy suave, ya no tuve miedo de lo que no podía ver.
En este reino no existían las palabras, pero podíamos entender perfectamente los pensamientos del otro. «No pasa nada, Nathan —dijo—. Estoy aquí.» La oscuridad ocultaba el rostro de la mujer y le pregunté cuándo podría verla. «Pronto —me llegó la respuesta—. Cuando él te salve.» Entonces desapareció. «¿Quién me salvará? —pregunté mentalmente—. ¿Quién es él?» Ella no respondió. Cuando se intensificó el sentimiento de abandono recurrí a la voz. «Pero no te he visto el rostro. ¿Cómo sabré que eres tú?»
Mis palabras no hicieron nada más que resonar en el vacío. Entonces la pacífica vocecilla respondió: «Lo sabrás, hijo mío». Y entonces lo vi. Era calvo, y lo primero que se me ocurrió pensar, de forma impulsiva, fue que se parecía a un monje budista. Tenía la tez pálida y unos rasgos suaves, casi femeninos. Pero lo más memorable eran sus ojos claros y penetrantes. Antes de que desapareciera me sobrevino un pensamiento: «No hay dolor tan grande que no pueda curarlo el amor». Me pregunté si era cierto.

DIARIO DE NATHAN HURST

15 DE NOVIEMBRE DE 2002

Mi historia empezó aproximadamente una semana antes del día de Acción de Gracias*. Me aquejaba una fuerte bronquitis, de esas en las que tienes la impresión de que vas a arrojar los pulmones por la boca de tanto toser. Mi trabajo me obliga a viajar mucho y en los festivos es cuando más ocupado estoy. De modo que pospuse la visita al médico mientras recorría el país consumiendo bolsas y más bolsas de caramelos de miel y limón para la tos.

Tengo un empleo poco corriente. En la era de Internet yo soy el Gran Hermano. Trabajo como detective de empresa para la cadena MusicWorld. Mi trabajo consiste en evitar que nuestros empleados nos roben, o al menos en impedir que se salgan con la suya. Me siento en un pequeño despacho sin ventanas de Salt Lake City y observo las transacciones de las 326 tiendas que tenemos repartidas por todo el país. Les asombraría todo lo que puedo deducir de mi

---

* Fiesta nacional en Estados Unidos que se celebra en el cuarto jueves de noviembre. El origen de la fiesta se remonta a los peregrinos del *Mayflower*, quienes la instituyeron en agradecimiento de las ubérrimas cosechas recogidas a su llegada a la tierra americana. *(N. de la T.)*

pantalla mientras observo sin que me vean. Invisible. Conozco un centenar de maneras de robar en nuestras tiendas, y cada semana hay algún idiota en alguna parte que pone en práctica una de ellas pensando que es el primero que lo hace.

Mi trabajo es como la pesca. (En la oficina central llamamos «peces» a los sospechosos.) Muevo el anzuelo un rato hasta que pesco algo. Entonces, cuando los tengo enganchados en el sedal, juego con ellos hasta que obtengo pruebas suficientes para coger un avión hasta allí y hacer que los arresten. La rutina suele ser siempre la misma. Llego de improviso a la tienda con un agente de policía a la zaga. Nos encaramos con el empleado en cuestión y nos lo llevamos a una habitación trasera donde nos pasamos una hora, o a veces más, de cargada emotividad interrogándolo.

Me he encontrado con toda clase de ladrones, desde vándalos y jóvenes que no han terminado el instituto a estudiantes de honor y *boy scouts* con insignias de mérito, incluso a una abuela canosa en Akron, que parecía la señora Santa Claus.

No simpatizo con los ladrones, pero a veces me siento mal por ellos por el hecho de haber sucumbido a una pérdida momentánea de sensatez o, al menos, de conciencia. Con frecuencia tienen problemas más graves, una adicción o una deuda impagable. Los más inquietantes son los sociópatas, que carecen de cargos de conciencia o de culpabilidad y que lo único que hacen es llevarse algo que consideran que les corresponde por derecho propio. Estas personas no sienten ningún remordimiento, sólo se enfurecen conmigo por interponerme en su camino. De hecho, normalmente me echan la culpa de sus problemas. En su retorcido sentido de la realidad, las cosas les estaban yendo muy bien hasta que aparecí yo.

Después de cuatro años de dedicación, he desarrollado un sistema de interrogatorio muy efectivo. Yo no digo gran cosa. Cuanto menos, mejor. Les cuento a los acusados algunos detalles de sus delitos, los que conozco, e insinúo que sé más cosas. Luego me siento con mi libreta y tomo notas en silencio, dejando que sean ellos los que hablen, brindándoles, por compasión, la oportunidad de confesarlo todo para que obtengan cierta lenidad por parte nuestra y de los tribunales. Lo cierto es que no es tanto una cuestión de clemencia como de sentido práctico. No siempre descubro todo lo que han robado y ellos no saben lo que sé o, lo que es más importante, lo que no sé. En una ocasión hice que una mujer confesara que había robado casi veinte mil dólares que a mí se me habían pasado por alto.

Cuando hemos terminado nuestra conversación, el policía los esposa y los cachea. Después nos los llevamos a plena vista de los demás empleados hasta un coche patrulla que espera fuera. Lo llamamos el «paseo de la vergüenza». No es extraño que los robos internos desciendan considerablemente en cualquier tienda que visito. Le ahorro a mi empresa más de un millón de dólares al año, y eso contando únicamente la mercancía que recuperamos. Como ya he dicho, tengo un trabajo poco corriente.

La época de las fiestas no es solamente un período para dar; también es el período en el que se producen más robos por parte de los empleados. Era jueves, faltaba una semana para el día de Acción de Gracias y realicé un viaje rápido a Boston, donde un par de empleados temporales, dos chicos de una hermandad estudiantil, robaban guitarras para que sus «hermanos» las vendieran. Se estaban embolsando más de tres mil dólares al día y estaban ahorrando para que la hermandad celebrara una fiesta de Nochevieja «inolvidable» (así la calificaron ellos, no yo). Creo que su deseo se cumplió. Estoy seguro de que nunca olvidarán la Nochevieja que pasaron en la cárcel. Mi siguiente parada fue Filadelfia.

La ladrona a la que detuve se llamaba Jenifer, con una sola ene, una mujer de veinticinco años que había robado casi seis mil dólares de mercancía.

Sentados con nosotros en la habitación trasera de la tienda, había un agente de policía, el gerente de la tienda y su ayudante. El gerente era mayor que la mayoría de los que me he encontrado a lo largo de los años, una reliquia de Woodstock que llevaba su larga melena plateada peinada en una cola de caballo al estilo de Jerry García. El ayudante del encargado era mucho más joven, tendría poco más de veinte años, y más tieso que un ajo. Le lanzó una mirada feroz a la joven y me lo imaginé en una habitación oscura a solas con la sospechosa deslumbrada por una luz brillante que le enfocaba el rostro mientras él golpeaba la mesa con una cachiporra exigiéndole que confesara.

La joven no nos miró a los ojos a ninguno de nosotros, sino que se sentó con la cabeza gacha, temblando de miedo.

Yo, personalmente, me encontraba fatal. Tenía fiebre y escalofríos y acababa de regresar del baño, donde un acceso de tos casi me había hecho caer de rodillas. De no ser porque ya había hecho intervenir a la policía, lo más probable es que hubiera dejado lo del interrogatorio y hubiera buscado una clínica de urgencias. Tras diez minutos de un interrogatorio unidireccional en su mayor parte, la joven me miró y me preguntó en voz baja:

—¿Puedo hablar con usted a solas?

Aquello suponía una violación de la política de la empresa, así como del sentido común. El hecho de quedarse a solas con un sospechoso se presta a sobornos, amenazas y acusaciones. No tenía nada que ganar con ello y sí mucho que perder. Pero, aun así, lo consideré. Había realizado más de doscientos interrogatorios y éste me parecía distinto. A su historia le faltaba algo. Al cabo de un momento les hice una señal con la cabeza a los demás que, si bien claramente ofendidos, abandonaron la habitación. Cuando se cerró la puerta, la mujer me miró con el mentón tembloroso y los ojos enrojecidos por las lágrimas.

Saqué mi dictáfono y lo puse en marcha.

—Voy a grabar todo lo que diga, de manera que le aconsejo que no intente sobornarme ni amenazarme.

Ella meneó la cabeza.

—No es por eso que…

—¿Qué es lo que quiere decir? —le pregunté.

—Robé.

—Eso ya ha quedado demostrado.

La mujer volvió a bajar la mirada.

—Nunca había robado. Lo que pasa es que intento dejar a mi marido. —Entonces se apartó el pelo de la oreja y dejó al descubierto un gran moretón negro y púrpura—. Se queda con mis cheques del sueldo y pensé que si podía conseguir un poco de dinero extra… —Se esforzó por recuperar la compostura—. No pude hacerlo. Lo traje todo de vuelta, pero entonces no supe cómo devolverlo a la tienda sin que me vieran y sin perder mi trabajo. ¿Hay algún modo de que pueda castigarme sin que se entere nadie?

—Se refiere a su marido —vi el terror que le provocaba esta palabra.

—No sé qué me haría… y a mis hijas…

Fue entonces cuando caí en la cuenta de que no tenía miedo de mí ni de la policía, ni siquiera de la cárcel. Tenía miedo de él.

Me quedé mirándola sin saber qué hacer. Estaba convencido de que esa mujer creía que estaba en peligro. Para mí se trataba de un territorio desconocido.

De repente me puse a toser otra vez. Cuando me recuperé del acceso de tos, el único sonido que se oía era el de sus sollozos. Se tapaba la cara con las manos.

—¿Ha traído todo de vuelta?

—Todavía está en el maletero de mi coche.

—¿Está todo en el maletero?

Ella asintió nuevamente con la cabeza.

Al cabo de unos instantes más, le pregunté:

—¿Dónde está su coche?

—En la parte trasera de la tienda. Es un Corona blanco.

—Deme las llaves.

Me entregó un llavero grande del que pendía un marco ovalado de metacrilato con una fotografía de dos niñas sonrientes.

—Vamos —le dije.

Salimos juntos de la habitación y de camino al aparcamiento pasamos por delante de los otros hombres. Éstos nos observaron con curiosidad mientras nos alejábamos y el ayudante del encargado nos acompañó hasta la puerta como si previera nuestra huida.

El automóvil era un cacharro. El parabrisas estaba agrietado, la carrocería oxidada y los asientos de vinilo, destrozados en su mayor parte, dejaban al descubierto muelles y gomaespuma. Abrí el maletero.

Todo estaba allí, con las etiquetas del precio y los folletos todavía intactos. Me apoyé en el vehículo y tosí.

—Ayúdeme a llevar todo esto adentro —dije.

Cogí el amplificador y ella llevó las dos guitarras. Regresamos a la habitación de la parte de atrás y lo dejamos todo en el rincón.

Luego nos sentamos. Ella me miró expectante. Entonces regresó el encargado, acompañado por su ayudante y el agente de policía. La mujer se puso tensa de inmediato.

—Bueno, ¿qué pasa? —preguntó el ayudante lacónicamente, enojado por que le hubiera pedido que se marchara.

—Creo que deberíamos dejarlo correr —contesté—. Sólo lo había tomado prestado para una fiesta. Lo ha devuelto todo. Está todo ahí y no hay nada que esté dañado.

El policía y el ayudante me miraron como si hubiera perdido el juicio.

Me dirigí al encargado del establecimiento:

—Lo que hizo fue una tontería, pero no ha cometido un robo. Al menos no era ésa su intención. Le recomiendo que le cobre el precio del alquiler y que la ponga en período de prueba.

El ayudante del encargado saltó, furioso:

—¿Y usted se lo cree? Mírela. ¡Se nota que está mintiendo! Mándela a la cárcel.

El encargado hizo caso omiso del arrebato y le preguntó a la mujer:

—¿Es verdad? ¿Sólo lo había tomado prestado?

Ella no lo miró, pero movió la cabeza en señal de afirmación.

El ayudante refunfuñó:

—Es la estupidez más grande que he oído nunca. Es una ladrona. —Se volvió hacia mí—. ¿Qué dijo cuando nos marchamos? ¿Qué le ofreció?

Me tapé la boca y volví a toser, luego pasé las hojas de mi bloc y en una página en blanco empecé a escribir. Al terminar arranqué la hoja y se la entregué al ayudante del encargado, que cogió el papel y fue cambiando de expresión a medida que iba leyendo. Me lanzó una mirada de soslayo, se puso de pie y abandonó la habitación.

Me dirigí al encargado de la tienda:

—Usted decide.

El encargado miró a la mujer y en sus ojos vi esa clase de compasión producto de haber recibido uno o dos golpes fuertes en la vida.

—Para empezar, nunca creí que Jen lo hiciera —dijo en voz baja. Se levantó, cogió las guitarras por el mástil y se volvió a mirar a la mujer—: Vuelve a poner el amplificador en su sitio y ve a tu mostrador. Hay mucho trabajo. —Entonces se dirigió a mí—: Debería ir al médico por esa tos.

Salió de la habitación. El agente me miró:

—Supongo que hemos terminado —meneó la cabeza y se marchó. La mujer y yo nos quedamos solos.

Al cabo de un momento ella dijo en voz baja:

—Gracias. Voy a tener que denunciar los malos tratos.

—Lo entiendo.

—Aléjese de él. Coja a sus hijas y vaya a un refugio para mujeres si es necesario. —Me levanté de la silla—. Y no vuelva a robar.

—¿Perdone?

—¿Sí?

—¿Qué fue lo que escribió para que se marchara?

Esbocé una sonrisa.

—No es usted la única persona de esta tienda a la que le tenía echado el ojo.

CAPÍTULO

Tres

En el exterior hace un tiempo espantoso,
Ahora estoy bloqueado en la terminal de Denver
y anunciaron que todas las salidas están canceladas.
Hay nieve, demasiada nieve, basta de nieve.
(Creo que estoy perdiendo el juicio.)

DIARIO DE NATHAN HURST

Era mi cumpleaños. Aunque eso fue sólo un fugaz pensamiento. Al terminar el día lo tacharía de mi calendario como cualquier otro. Para volver a Salt Lake City tuve que hacer una escala de dos horas en Denver. Con el aire acondicionado del avión se me agravó la tos y lo que más quería era estar en casa metido en la cama o respirando el vapor de una ducha caliente. Lamentablemente, el tiempo tenía otros planes.

Ya llevaba más de seis horas nevando, pero el verdadero frente frío estaba por llegar. Desde mi asiento de ventanilla, Denver parecía tan blanca como una tarta nupcial.

Poco después de aterrizar, conecté mi teléfono móvil. Mi secretaria, Miche, había dejado un mensaje de voz informándome de que, ante la contingencia de que el aeropuerto cerrara, me había hecho una reserva en el hotel del aeropuerto. Había reservado la *suite* presidencial, pues era la única habitación disponible.

—Tuve que obtener la autorización de contabilidad —anunció alegremente, y percibí un leve regodeo en su tono. Me imaginé su batalla con el puntilloso personal del departamento de contabilidad—. Me dijeron que no nos acostumbráramos. Espero que te encuentres un poco mejor. Te he concertado una cita con el médico en la Clínica Midvalley para mañana, de modo que descansa un poco. Y, a propósito, feliz cumpleaños, jefe.

«Amo a esa mujer.» Guardé el teléfono en el bolsillo de la chaqueta. Nuestro avión se detuvo junto al *finger* que le habían asignado; agarré el maletín y salí por la pasarela de acceso en fila con el resto de los pasajeros.

La terminal estaba abarrotada de viajeros que no podían embarcar hacia sus destinos. La gente llenaba los asientos, inundaba la alfombra y ocupaba los suelos embaldosados de los costados de la terminal como campistas bordeando el camino la noche antes de un concierto. «¡Gracias a Dios que a Miche se le ocurrió reservarme una habitación», pensé. Pasé junto a una tienda de dulces y tomé nota mentalmente de comprarle unos bombones.

Sonaba música navideña y el estribillo *Let it snow, let it snow, let it snow* resonaba por toda la terminal. La iluminación de los pasillos era intensa y una nevada que no mostraba señales de amainar acribillaba las ventanas. Levanté la mirada hacia la pantalla que anunciaba las salidas de los vuelos. La palabra CANCELADO se leía en las casillas en las que debería haberse indicado el horario de partida. Estaba claro que íbamos a permanecer un buen rato en el aeropuerto.

Los pequeños establecimientos de comida rápida no estaban preparados para alimentar a las masas, y muchos de ellos ya habían cerrado, habían bajado sus rejas metálicas de seguridad y sus empleados estaban apiñados dentro como reclusos. Incluso las tiendas de artículos diversos, con sus golosinas y frutos secos, habían quedado despojadas de mercancía como un supermercado de Florida en la temporada de huracanes. Crucé la terminal y me uní a la larga cola que había frente al mostrador de ayuda de la compañía Delta.

Allí es donde conocí a Addison.

Era guapa… No al estilo de las portadas de revista sino, en mi opinión, mejor todavía. Era agradable. Parecía tener unos cuantos años menos que yo y era casi una cabeza más baja. Su cabello largo del color del café capuchino le llegaba a la altura de los hombros. Llevaba varias bolsas colgando y tenía otra de color negro, con ruedas, a sus pies.

Su hija pequeña —de los que estábamos por allí, la única que todavía daba señales de vida— saltaba entre las colas de gente a la pata coja, alternando los pies, y mientras jugaba al tejo sobre una hierba imaginaria, tropezó sin querer con el hombre de negocios que estaba delante de su madre. El caos del momento había caldeado mucho los ánimos y el sujeto, al encontrar a alguien con quien desahogar su frustración, se dio media vuelta con el rostro colorado y una vena del cuello hinchada. Era un hombre bajo y rechoncho, vestido con un traje oscuro de raya diplomática con chaleco.

—¡Ten cuidado! —gritó.

La mujer agarró a su hija por los hombros y la atrajo hacia sí.

—Lo siento.

Casi todo el mundo en la cola miró para ver qué había provocado el arrebato.

—¡Controle a su hija!

La mujer se sonrojó.

—Lo siento, de verdad. Es que lleva todo el día encerrada.

—Pues si no sabe comportarse, déjela en casa.

Entonces fue cuando me fijé en el niño que se aferraba al brazo de la mujer. Era pequeño, probablemente tenía unos ocho o nueve años, y su aspecto era increíblemente delgado y frágil. Llevaba puesta una gorra de los Jazz de Utah que dejaba ver que no tenía cabello y ni siquiera cejas o pestañas. Una máscara de cirujano le tapaba la nariz y la boca. El niño soltó la mano de su madre, apretó los puños y se encaró al hombre.

—¡No le hable así a mi madre!

El hombre hizo un gesto admonitorio con el dedo al niño.

—¡Ten cuidado con lo que dices, mequetrefe…!

Se me disparó algún resorte interior. Cuando quise darme cuenta ya me había acercado a aquel hombre.

—¿Qué le pasa? ¿Una niña tropieza y usted pierde el juicio? Ya le ha pedido perdón. Ahora dese la vuelta y déjelos en paz.

Se oyeron risitas a nuestro alrededor y oí un eco de gente que repetía mis palabras a otros. El hombre estaba atrapado entre su temor hacia mí y la humillación pública. Yo mido metro ochenta y cinco de estatura y tengo una anchura de pecho de ciento seis centímetros. Una de mis aficiones es el levantamiento de pesas, por lo que puedo resultar muy amenazador si me lo propongo. Con las contracciones del rostro y el temblor de las manos y el sudor que me provocaba la fiebre cayéndome por la cara, lo más probable es que pareciera un loco. El hombre de negocios era por lo menos diez centímetros más bajo que yo y tenía la misma musculatura que una alga.

Prevaleció la cobardía. El hombre se dio la vuelta, refunfuñando con cautela para sus adentros.

La mujer me miró de reojo, pero no dijo nada. Parecía tan avergonzada por mi intromisión como por el arrebato de aquel hombre. Atrajo a su hija hacia sí.

—Deja ya de corretear —le dijo.

—Pero es que me aburro.

—Lo sé, cariño. Sólo serán unos minutos más.

El pequeño se volvió para mirarme y por un momento me pareció que lo conocía de alguna parte. Otro acceso de tos se apoderó de mí y me di la vuelta.

Pasó otra media hora antes de que la mujer llegara al mostrador. Un árabe corpulento y hosco cogió su billete con impaciencia.

—Iba en el vuelo dos mil doscientos setenta y cuatro a Salt Lake —dijo la mujer.

—Se ha cancelado —repuso él de manera cortante.

Ella ignoró su comentario de algo que ya sabía.

—¿Sabe cuándo podremos salir?

El hombre miró èl billete y meneó la cabeza.

—¿Vuela usted en *stand-by*? Pues por lo que parece, yo diría que algún día de la próxima primavera.

La mujer suspiró de manera audible.

—Mamá, tengo hambre —dijo la niña.

—Cuando terminemos, iremos a buscar algo de comer. —Se volvió nuevamente hacia el hombre—. ¿Reparten vales de hotel?

—¿Vales?

—Para habitaciones de hotel gratis.

—Eso es sólo si la cancelación es por culpa de la línea aérea, no por problemas meteorológicos.

—¿Ofrecen algún tipo de descuento para el hotel?

—No. Pero aunque lo hiciéramos, daría lo mismo, pues las carreteras que salen del aeropuerto están cerradas. Y sería un milagro que quedara alguna habitación libre en el hotel del aeropuerto. Tendrá que acampar como todo el mundo.

Vi la angustia en el rostro de la mujer, que le frotó suavemente la espalda a su hijo.

—Gracias —dijo en voz baja—. Vamos, niños.

El hombre concentró su atención en mí y extendió la mano para que le entregara mi billete.

—El siguiente.

Me quedé mirando a la pequeña familia que se alejaba.

—El siguiente.

Di un paso adelante y le entregué el billete.

—Iba en el mismo vuelo a Salt Lake —anuncié—. Sólo quería asegurarme de que tendré un asiento reservado en el primer vuelo que salga.

El hombre examinó mi pase.

—Su billete es de primera clase y medallón platino. Se ocuparán de usted.

—¿Dónde está el hotel?

—Más adelante, cerca de la puerta C23.

—Gracias.

Cogí mi bolsa y regresé a la tienda de dulces, Rocky Mountain Chocolates. Ya casi habían agotado las existencias. Compré una caja enorme de bombones artesanales para Miche y supe que me haría el consabido reproche por el tamaño del obsequio, pues llevaba los últimos seis meses intentando perder dos kilos.

Mi tos debía de ser bastante fuerte porque la mujer del mostrador se tapó la boca con una servilleta. También me hizo pasar la tarjeta de crédito por la máquina a mí para no tener que tocarla.

Metí los dulces en el maletín y eché a andar por el pasillo hacia el hotel. Vi otra vez a la mujer con sus hijos. Había apilado sus cosas contra la pared y estaban los tres sentados en el suelo embaldosado. Su hija estaba tendida con la cabeza en su regazo y su hijo estaba apoyado en ella. La niña estaba comiendo una tira de regaliz roja y su madre hacía calceta. Verlos a todos acurrucados me hizo pensar en una versión viviente de *La madre* de Dorothy Lange, aunque no tan patética. Me detuve a unos metros de distancia delante de ella.

—¿Está usted bien? —pregunté.

Ella me miró y bajó las agujas de hacer punto. Tenía unos ojos increíblemente hermosos, profundos y almendrados.

—Sí. Gracias.

—No era mi intención avergonzarla. Ese tipo había perdido el control.

—Sólo estaba frustrado —repuso ella—. Como el resto de nosotros. Pero gracias.

Di un paso hacia ella.

—Soy Nate Hurst.

—Y yo Addison Park.

—Es un placer conocerla, Addison. Puede que esto parezca un poco atrevido, pero no pude evitar oírla… Tengo una habitación reservada en el hotel del aeropuerto. De hecho, es una *suite*, por lo que son dos habitaciones. Usted y los niños pueden ocupar una de ellas, si quiere.

No pude interpretar del todo su expresión. Supuse que estaba considerando qué sería lo que esperaba yo a cambio.

—Gracias, pero estamos bien. —Resultaba obvio que era una mentira, dicha en el mismo tono que utilizaría un niño al rechazar de mala gana un dulce que le ofreciera un extraño.

—Sé que no sirve de mucho que le diga que no soy un bicho raro ni un asesino en serie, porque probablemente eso es lo que diría un bicho raro o un asesino en serie… pero no lo soy. Y usted tiene hijos. Los tres tienen aspecto de estar muy cansados.

Ella se retiró un mechón de pelo de la cara. Su tono se suavizó.

—Llevamos varios días viajando y mi hijo no está bien. Acaba de someterse a quimioterapia y su sistema inmunológico está débil.

Me pregunté qué la habría llevado a subirse a un avión con un niño en ese estado.

—Y yo aquí, sin parar de toser —dije—. Le dejaré toda la *suite*, si eso hace que se sienta mejor. Puedo acampar en el salón VIP del aeropuerto. —Una expresión de asombro cruzó por su rostro. Imaginé que no podía creer que le ofreciera mi habitación sin más. Supongo que yo tampoco podía—. Vamos —dije—. Éste no es lugar para los niños. Lo más probable es que dentro de una hora empiecen a comerse el uno al otro.

La mujer se rió y, a pesar de su evidente angustia, su risa era cálida y dulce. Su expresión se relajó.

—Gracias. Es muy amable por su parte.

Me dio un acceso de tos.

—Vámonos. Los llevaré a la habitación.

Ella levantó suavemente la cabeza de su hija.

—Ven, cariño. Nos vamos a un hotel.

La pequeña me miró con curiosidad.

—¿Por qué le parpadea el ojo de esa manera? —preguntó—. Es como un caballo.

Addison se sonrojó.

—No seas maleducada, Lizzy.

—Tengo el síndrome de Tourette —dije—. Hace que mi ojo haga cosas raras.

—¿No puede hacer que pare?

—A veces. Pero es como contener la respiración. Puedes hacerlo durante un rato, pero al final tienes que respirar.

—¿También le hace toser? —preguntó el niño.

—No, eso es otra cosa.

Addison se acercó a mí.

—Lo siento mucho.

—No pasa nada.

Agarré su bolsa. Addison tomó de la mano a sus hijos.

—Me llamo Elizabeth —dijo la niña—. Pero mi mamá me llama Lizzy. Es el diminutivo de Elizabeth. Éste es mi hermano, Collin.

—Yo me llamo Nate. Es un placer conocerte.

—Mucho gusto, señor —dio Collin.

El niño me cayó bien. En realidad, me cayó bien desde el momento en que defendió a su madre.

—Igualmente —dije, y le tendí la mano. Él no me correspondió.

—No debo estrecharle la mano a nadie.

—Lo siento.

—¿Está casado? —preguntó la pequeña.

Addison le lanzó una mirada de desaprobación a la niña.

—Mi papá se marchó. Es un miserable.

—Ya basta, Elizabeth —dijo Addison, que se sonrojó levemente y se volvió hacia mí—. Lo siento mucho. Me temo que lamentará su oferta. Estoy segura de que ya lo lamenta.

Me limité a sonreír.

Anduvimos la corta distancia hasta el hotel y me puse en la larga cola del mostrador de recepción. Tardé casi cuarenta y cinco minutos en registrarme. Cuando le llevé a Addison la llave de la habitación, ella estaba otra vez haciendo punto.

—Siento haber tardado tanto. Déjeme que la ayude con las bolsas.

—No hace falta. Ya le hemos hecho perder mucho tiempo.

—Si algo me sobra, es tiempo.

Tomamos el ascensor hasta el séptimo piso y nos dirigimos al final del pasillo donde estaba la *suite*. Abrí la puerta, me aparté y los dejé pasar.

—¡Caramba! —exclamó Addison al entrar en la habitación.

—Es más grande que nuestra casa —gritó Elizabeth dando vueltas por la habitación con los brazos extendidos.

—Es la *suite* presidencial —dije, y me acometió un acceso de tos.

—Usted debe de ser alguien muy importante —comentó Collin.

—No. Simplemente era la última habitación que les quedaba.

Entré tras ellos, pero me quedé a unos pocos pasos de la puerta, como un portero.

Addison se dio la vuelta para mirarme.

—No sabe cuánto se lo agradezco. Hace casi tres días que intentamos volver a casa. Una amiga mía que trabaja en Delta nos dio unos pases para empleados. Continuamente nos quedamos sin plaza.

—Su amiga no habría tenido que dejarles volar en *stand-by* la semana de Acción de Gracias.

—Me lo advirtió. Lo que ocurre es que no tenía muchas opciones. —De pronto Addison miró el reloj—. ¡Oh, no! Olvidé cambiar la hora. Collin, necesitas la medicina corriendo. —Abrió la cremallera de la bolsa más grande y sacó dos frascos de plástico con pastillas. Depositó una pastilla de cada frasco en la palma de la mano y luego llenó un vaso de agua del lavabo. Le dio el vaso y las pastillas a Collin—. Aquí tienes.

—Gracias.

—¡Mira, dulces! —gritó Elizabeth—. Corrió hacia la mesa del comedor donde había una fuente con fresas bañadas en chocolate blanco y negro.

—Eso no es nuestro, Liz —le dijo Addison.

La niña cogió una tarjeta de la mesa.

—«Feliz cumpleaños.» ¿De quién es el cumpleaños?

—Es mi cumpleaños —contesté.

—Feliz cumpleaños —dijo Elizabeth.

—Gracias.

—El peor día para quedarse atrapado en un aeropuerto —comentó Addison.

—Me tenía que pasar a mí —repuse más por obligación que por sentimiento.

—¿Podemos hacer una fiesta de cumpleaños, mamá?

—Gracias, pero será mejor que me vaya para que puedan descansar un poco.

—Espere, por favor —Addison se inclinó y le susurró algo al oído a su hijo. Él me miró con una intensidad sorprendente en un niño, a continuación miró de nuevo a su madre y asintió con la cabeza. El intercambio se me antojó bastante peculiar.

—No me parece bien echarlo de su habitación. Es su cumpleaños y está enfermo. Nosotros estaremos bien aquí en el sofá.

Me sorprendió que hubiera cambiado de opinión y quisiera que me quedara, pero me alegré de que lo hiciera. No tenía ganas de dormir en el suelo del salón VIP del aeropuerto.

—¿Está segura?

—Estaremos bien aquí fuera.

—No, usted quédese la habitación. De ese modo podrán compartir la cama grande.

—Gracias.

Entré mi bolsa y cerré la puerta.

—Bueno, ¿han comido?

—No mucho. Creo que ya no sirven comidas en los vuelos.

—Sí, es una costumbre que prácticamente ha desaparecido —fui a coger el menú del servicio de habitaciones—. ¿Te gusta la pizza? —le pregunté a Collin.

—Sí, señor.

—¿De *pepperoni*?

—Sí, señor.

—¿*Root beer*?* ¿Sprite?

—*Root beer* —dijo Elizabeth—. A Collin también le gusta la *root beer* —y dicho esto, salió corriendo de la habitación.

Descolgué el teléfono y marqué el número del servicio de habitaciones. Pedí una pizza grande de *pepperoni*, un par de *root beers*, una ración de patatas fritas y dos pedazos de tarta de chocolate por si acaso. La empresa me daba una generosa cantidad para dietas que pocas veces gastaba del todo. Quizás esta noche lo hiciera. Miré a Addison y tapé el micrófono con la mano.

—¿Qué le gustaría comer?

—Puedo compartir lo de los niños —dijo.

—¿Siempre le cuesta tanto aceptar lo que le ofrecen?

Ella sonrió.

—Supongo que debería intentar remediarlo.

—¿Qué le parece si empieza con una ensalada? ¿Cobb o césar con pollo?

—César.

—Y dos ensaladas césar —le dije al del servicio. Colgué el teléfono y a continuación llamé para pedir otro par de almohadas y una manta.

—¿Le importa si me doy una ducha? —preguntó Addison.

—Está usted en su habitación —respondí. Empecé a toser otra vez. En esta ocasión el acceso fue muy violento. Me sorprendió que

* Bebida no alcohólica hecha de extractos de varias raíces y hierbas. (*N. de la T.*)

no me estallara una vena. Cuando volví a darme la vuelta, Addison tenía una expresión compasiva en su rostro.

—La verdad es que no debería estar cerca de su hijo —le dije.

—Bueno, o es usted o son un millar de personas enfermas en la terminal —repuso ella—. ¿Cuánto tiempo hace que está enfermo?

—Unas dos semanas. Es bronquitis o algo así.

De repente Collin cruzó la habitación hacia mí. Me miró con preocupación.

—¿Le duele?

—No demasiado. Sólo cuando toso muy fuerte.

—A mí me duele cuando voy al hospital.

Miré al pequeño con la máscara de cirujano y sentí una punzada de lástima por él.

—Creo que tú eres mucho más valiente que yo.

En aquel preciso momento Elizabeth volvió a entrar en la habitación dando saltos.

—Mamá, hay dos televisores. Podemos mirar dos programas a la vez.

De pronto tuve que doblarme en dos, víctima de otro ataque. Mientras yo tenía la cabeza agachada, Collin me tocó el hombro con la mano. Resulta difícil explicar lo que ocurrió en ese momento; fue distinto a cualquier cosa que hubiera experimentado antes. Cuando me tocó, sentí que una oleada de energía recorría todo mi cuerpo. Pero fue más que eso, como si hubiera algo casi emocional en ello, como los escalofríos que sientes al leer un párrafo impresionante en un libro o al escuchar una pieza de música conmovedora. Collin retrocedió y me miró, como si esperara mi reacción, luego se dio la vuelta y caminó hacia el dormitorio tambaleándose un poco a cada paso.

Yo me lo quedé mirando, sin saber lo que había ocurrido. Me volví a mirar a Addison para ver su reacción, pero ella aún estaba hablando con Elizabeth. Entonces se dio la vuelta y dijo:

—Creo que iré a ducharme. Vamos, Lizzy.

Salieron de la habitación. Me llevé la mano a la frente y, aunque todavía estaba húmeda, la sentí fría. Respiré larga y profundamente, cosa que, cinco minutos antes, me hubiera resultado imposible hacer sin toser. Me senté en el sofá y las ideas se me agolparon en la cabeza. Había oído hablar de cosas como el don de la curación. Incluso había visto en televisión a los llamados curanderos que, con la misma teatralidad abigarrada que los luchadores de la Federación Mundial de Lucha Libre, expulsaban a los demonios de la dolencia del cuerpo de los fieles y luego les pedían a los televidentes que estaban en sus casas que pusieran las manos sobre el televisor para curarse (y que mandaran cien pavos como muestra de gratitud).

Sin embargo, lo que había hecho aquel niño era completamente distinto. Si se trataba de una curación a través de la fe, ésta provenía toda de él, pues yo ni siquiera sabía lo que iba a hacer. Pero no podía negar que había sentido algo. Y la tos había desaparecido. Al cabo de unos minutos me di cuenta de que también habían desaparecido mis tics.

CAPÍTULO

Cuatro

Esta noche he compartido mi habitación
de hotel con una mujer y sus dos hijos.
Creo que el niño me curó el Tourette.
Aunque parezca mentira,
pienso más en la mujer que en el chico.

DIARIO DE NATHAN HURST

Permanecí sentado en el sofá durante varios minutos intentando entender lo que había ocurrido. Sin pensar, hice lo que hacía siempre que estaba desconcertado: saqué un billete de veinte dólares de la cartera y lo doblé en forma de triángulo. Después de veinte años haciéndolo soy capaz de doblar un billete con sólo una mano de modo que quede un vértice puntiagudo como un cuchillo. Primero me hice cosquillas en el brazo con el dinero y luego me pasé la punta por los labios.

Vinieron los del servicio de habitaciones con la manta y las almohadas que había pedido. Luego trajeron la comida. Firmé la factura sin hablar con el camarero. Pasaron quince minutos más antes de que Addison saliera. Abrió la puerta y luego llamó para atraer mi atención.

—Adelante —dije.

Tenía un aspecto lozano. Llevaba el cabello peinado hacia atrás y se había maquillado un poco.

—Acabo de quitarme de encima tres días de aeropuerto —comentó alegremente. Vio la bandeja—. ¡Ah, ha llegado la comida!

Elizabeth entró en la habitación, gritando:

—¡Pizza! Collin, ya está aquí la pizza.

Collin entró detrás de ella. Ya no llevaba puesta la máscara.

—¿Podemos ver una película, mamá?

—No, cariño. Eso cuesta dinero. Mirad la televisión y ya está.

—Por mí no hay ningún inconveniente —dije mirando a Addison—. Bueno, si a usted le parece bien.

—¿Podemos? —preguntó Elizabeth—. ¿Por favor?

—De acuerdo. Pero sólo una. Luego tendréis que ir a dormir.

—¿Podemos comer en la cama, mamá? —preguntó Collin.

—No.

—¿Podemos comer delante del televisor?

—Sí.

—¡Vale! Vamos, Lizzy.

Addison puso nuestras ensaladas en la mesa de centro y luego empujó el carrito hasta la otra habitación. Cerró la puerta, se sentó a mi lado y destapó las ensaladas. Yo no estaba pensando en la comida. Quería decir algo sobre el milagro que acababa de experimentar, pero no sabía cómo abordar el tema sin que pareciera estar loco.

—Esto tiene buena pinta —comentó Addison. Me pasó un tenedor y un cuchillo—. Usted debe de tener hijos. Sabe cómo complacerlos.

—No. Pero mi secretaria me acusa de seguir siendo un niño. —Fui a buscar mi bandeja de dulces de cumpleaños y la dejé en la mesa de centro junto a las ensaladas.

—¿Puedo coger uno? —preguntó Addison.

—Por favor.

Tomó una fresa bañada en chocolate blanco y le dio un bocado.

—Es deliciosa.

—Son de parte de mi secretaria. Fue ella quien reservó esta habitación.

—Me cae bien.

Me acerqué al minibar.

—¿Quiere beber algo?

Estaba a punto de decir que no, pero se contuvo.

—Me encantaría. ¿Hay *ginger ale*?

Rebusqué hasta que encontré uno.

—Canada Dry. —Cogí un zumo de arándanos para mí. Regresé y le di la bebida y un vaso. Ella abrió la lata y la vació en el vaso.

—Deberíamos cantar *Cumpleaños feliz* —dijo Addison.

—No pasa nada si no lo hacemos —repuse.

—Pues al menos brindemos. —Alzó el vaso—. Por su cumpleaños. Y por su generosidad.

Hicimos chocar los vasos y bebimos.

Dejé el mío en la mesa auxiliar.

—Dígame, ¿de dónde vienen?

—De Virginia. Mi padre acaba de morir.

—Lo siento.

—Yo también. Era un buen hombre —dijo con tristeza—. ¿Y usted? ¿De dónde viene?

—De Boston, y después de Filadelfia. Fui por trabajo.

—¿A qué se dedica?

—A la seguridad. Trabajo para MusicWorld. —He aprendido a dar respuestas cortas. A veces las personas se incomodan cuando les cuento que hago que arresten a gente—. ¿Y usted?

—Tal como está Collin tengo que permanecer en casa. Por suerte cuento con una pensión alimenticia. Le pagué los estudios a mi ex marido en la facultad de derecho, de manera que ahora me lo devuelve, supongo. Andamos un poco apurados de dinero, pero tengo un pequeño negocio en casa. —Tomó un bocado de su ensalada.

—Hábleme de Collin.

Ella suspiró levemente.

—Tiene leucemia. Acaba de terminar la última tanda de quimioterapia. Pero se está recuperando bien, su médico dice que está en remisión. Lo vamos viendo día a día. —Al cabo de un momento esbozó una sonrisa forzada, ansiosa por cambiar de tema—. Dígame, ¿dónde vive usted?

—En Salt Lake. En la zona de Sugarhouse. Tenía una reserva en el mismo vuelo que usted.

—¿Cree que algún día llegaremos a casa? —preguntó.

—Algún día. Tal vez.

—Tal vez —repitió. Comimos un poco, en silencio. Entonces me dirigió una mirada socarrona—. Ha dejado de toser.

Me encogí de hombros.

—He mejorado.

—¿Así de repente?

—Creo que su hijo me curó —respondí en un fingido tono de burla.

La sonrisa se desvaneció en su rostro. Bajó la mirada al reloj.

—Bueno, se está haciendo tarde. Será mejor que lo deje solo para que se acueste. —Dejó los cubiertos y volvió a colocar la tapa de plata encima de su plato—. Gracias otra vez por todo.

—La veré por la mañana.

Caminó hacia la puerta.

—Oiga, ¿puedo hacerle una pregunta?

Se dio la vuelta. Tenía una expresión preocupada.

—¿Qué le hizo cambiar de opinión y dejar que me quedara aquí?

—Collin me dijo que era un buen hombre.

Asentí con la cabeza, aunque no lo comprendía. ¿Qué mujer se fía de su hijo de nueve años para evaluar a los hombres?

—¿Y usted? ¿Por qué nos pidió que nos quedáramos?

—Parecía estar desesperada.

—¿Siempre invita a mujeres desesperadas a compartir su habitación?

—No, usted ha sido la primera. Pero puede que lo tome por costumbre. Ha sido bastante agradable.

—Para nosotros también. Buenas noches.

—Buenas noches —respondí. Desapareció tras la puerta.

Quité los almohadones del sofá y saqué la cama plegable. Apagué la luz y me tumbé para pensar. Seguía sin tener tics. Me pregunté cuánto tiempo duraría.

CAPÍTULO

Cinco

Por fin llegué a casa.
Mi pez, Earl, *sigue vivo a pesar del retraso.*
Creo que Earl *no se morirá nunca.*

DIARIO DE NATHAN HURST

Todavía era de noche cuando llamé suavemente a la puerta del dormitorio. Addison la abrió sólo lo justo para asomarse. Tenía el cabello alborotado y los ojos soñolientos. Se apoyó en el marco.

—Hola —susurró—. ¿Ya se va?

—Sí. Han reabierto el aeropuerto. Quería despedirme.

—Muchas gracias por todo —se pasó la mano por la frente y se apartó el pelo—. ¿Tenemos que marcharnos ahora?

—No. Llamé a la compañía aérea. Tienen asientos en el vuelo de la una y media.

—¡Cómo lo ha hecho?

—Les informé sobre la enfermedad de su hijo y encontraron el modo de ponerlos los primeros de la lista. También he llamado a recepción y pedí que puedan dejar la habitación a última hora, de manera que pueden quedarse hasta la una. Pero no pierdan el vuelo.

—No sé cómo corresponderle.

—No es necesario —metí la mano en el bolsillo del abrigo y saqué una tarjeta de visita—. Por si necesita un descuento en una guitarra…

Ella sonrió.

—Es usted un encanto. Gracias por salvarnos.

—De nada —Me dispuse a marcharme.

—Nathan.

Me volví a mirarla.

—Al mundo no le vendría mal que hubiera más hombres como tú.

Sonreí y me alejé. Ella no sabía la clase de hombre que era yo en realidad.

⊠

Mi vuelo aterrizó en Salt Lake a eso de las diez. El paisaje era blanco, pero el cielo estaba azul y despejado. En cuanto recuperé el equipaje, utilicé el servicio de enlace con el aparcamiento de estacionamiento prolongado. Retiré diez centímetros de nieve en polvo de mi coche y conduje hacia el trabajo. Miche se alegró y se sorprendió al verme. Es una mujer menuda, de metro y medio de estatura, cabellos rubios y sonrisa contagiosa. Llevaba un suéter negro de cuello de cisne con un collar azul turquesa, una falda negra de ante y botas camperas de color rosa.

—¡Vaya! Me alegro de que hayas vuelto. —Me observó—. ¿Has dormido con la ropa puesta?

—Mi maleta quedó cautiva en el vientre de un avión.

—Razón por la cual siempre llevas una muda en tu bolsa de mano.

—En todos los vuelos de los últimos cuatro años. Excepto en éste.

—La ley de Murphy —comentó ella. Vio los bombones que llevaba en la mano—. ¿Son para alguien en particular?

Le entregué la caja.

—Gracias por la habitación de hotel. Fue una verdadera salvación.

—Te guardo las espaldas.

—Y por el regalo de cumpleaños.

—De nada.

Me metí la mano en el bolsillo y saqué su contenido: un montón de recibos de tarjeta de crédito hechos una bola y unos cuantos billetes de dólar doblados en punta. Ella fue cogiendo los billetes, los dejó en un montón sobre su mesa y luego empezó a alisar los recibos. Había tardado seis meses en aceptar la inutilidad de reprenderme por mi costumbre de meterme los recibos en los bolsillos. Incluso había dejado de darme un sobre para guardarlos en cada viaje. Fue mirando los recibos uno a uno, asintiendo con la cabeza cada vez. Se detuvo en la factura del hotel. Revisó los gastos, sacó un bombón y le clavó la uña en la base para ver de qué era.

—Es probable que sobrepasara el presupuesto de comida —dije, anticipándome a su pregunta.

—Sí —repuso ella—. Yo también como mucho cuando estoy aburrida. —Volvió a mirar el recibo—. ¡Caray! Debías de estar aburridísimo —dejó el bombón y eligió otro.

—No estaba solo. Tuve invitados.

—¿Invitados?

—Una mujer que conocí. Estaba prisionera en el aeropuerto.

—¿Acaso no lo estaba todo el mundo? —su voz se volvió pícara—. Debía de ser guapa. ¿Era guapa? —remató su pregunta metiéndose un bombón de licor en la boca.

—No se trata de eso. Tenía dos hijos.

—¿Y qué? ¿No se puede ser guapa y tener hijos?

—Me refiero a que no fue un ligue.

Ella pareció quedarse un tanto decepcionada.

—¡Qué lástima!

—¿Por qué es una lástima?

—No importa —dijo apretando los labios—. El señor Stayner quiere verte en su despacho.

—¿Cuándo?

—En cuanto llegue Nate —respondió imitando la voz grave de Stayner.

Sonreí ampliamente. Lo imitaba muy bien.

—Un día de éstos estará de pie detrás de ti cuando lo imites.

—No, eso no ocurrirá.

—¿Por qué estás tan segura?

—Porque tú me guardas las espaldas a mí.

Sonreí y me di la vuelta para irme, pero no empecé a andar porque Miche es de esas personas a las que siempre se les ocurre algo más que decir cuando te dispones a marcharte. No me defraudó.

—Espera. No olvides que tienes cita con el médico a las once.

—Ya no me hará falta.

Me miró con curiosidad.

—¡Qué raro! No has tosido ni una sola vez.

—Se me ha pasado.

—A nadie se le pasa una bronquitis. Ayer no podías ni hablar sin toser.

—Bueno, pues ya no tengo tos.

—¡Ojalá tuviera tu sistema inmunológico!

—¡Ojalá! Así no llamarías nunca diciendo que estás enferma.

—Lo haría igual, sólo que no estaría tumbada en la cama mirando a Oprah en la tele —repuso con una sonrisa—. Una cosa más. ¿Has cambiado de opinión sobre lo de ir en coche a Pocatello? Todavía hay vuelos disponibles.

—Iré en coche. Y quiero que hagas una cosa.

—¿Qué he de hacer?

—Mira a ver si puedes encontrar la dirección de una tal Addison Park en el listín telefónico.

—¿Addison? Es un nombre muy bonito. ¿Se trata de tu invitada misteriosa?

—No es asunto tuyo —repuse mientras me dirigía al pasillo—. Y sí —le dije por encima del hombro—, es guapa.

Larry Stayner, el jefe de seguridad de MusicWorld, ocupaba un despacho en el extremo sureste del quinto piso. Era un hombre alto y enjuto que fue triatleta hasta que una hernia discal dio al traste con sus planes. Siempre vestía muy bien. Rondaba los cincuenta años, era arrogante y seguro de sí mismo, se teñía el cabello y usaba unas gruesas gafas de concha. Lo cierto es que ese tipo nunca había sido santo de mi devoción, aunque me llevaba tan bien con él como cualquier otra persona en el despacho. Mucho mejor que las mujeres de la oficina, que lo habían apodado Manazas. Era un hombre imprevisible: unos días era generoso y divertido; vengativo e inquietante, otros. Yo siempre me dirigía a él del mismo modo como trataría a un perro abandonado. Me figuraba que los arrebatos de mal genio que tenía de tanto en tanto podían coincidir con su dolor de espalda crónico, aunque también podrían haber tenido algo que ver con su matrimonio, que por lo que yo veía parecía tan atroz como su hernia discal.

Primero, llamé a la puerta y luego la abrí. Stayner estaba al teléfono, pero me hizo pasar con un gesto de la mano. Entré y me quedé a unos pasos de la entrada. Enseguida supuse que estaba hablando con su esposa.

—Tengo que dejarte —dijo con brusquedad, mirándome y meneando la cabeza—. Tengo una visita en mi despacho. Llamaré al contratista —pausa—. He dicho que llamaré al contratista —colgó el teléfono con el rostro crispado de angustia—. Esta mujer es capaz de dar la lata hasta que salte la pintura de las paredes—. Pulsó un botón de su teléfono—. Martsie, llame a Wooden y dígale que el chico al que mandó para que arreglara los estantes del sótano hizo un arañazo en la pared de la escalera y que tiene que arreglarlo.

Se volvió hacia mí.

—Ha vuelto.

—Sí, señor.

—Me dijeron que estaba enfermo.

—Ya me he recuperado.

—Bien. Tome asiento.

Estaba claro que aquel día no se sentía generoso ni divertido.

—Bueno, ha estado en Boston y en Filadelfia. ¿Qué ocurrió allí?

—Un par de universitarios creyeron que podríamos financiar la fiesta de fin de año de su hermandad.

—Me refiero a Filadelfia.

—Lo de siempre. ¿Por qué?

—Porque no ocurrió precisamente lo de siempre. No se realizó ningún arresto y el encargado de la tienda dijo que usted se reunió a solas con la sospechosa. ¿Es cierto?

—Sí. Pero…

—Debía de estar enfermo, sí. Ya sabe en qué situación pone eso a la compañía. Por no mencionar en la que lo pone a usted personalmente.

—Grabé la entrevista para protegernos.

—Después fue al coche de esa mujer, volvió a meter en la tienda dos guitarras Martin y un amplificador Thomson y a continuación le dio el visto bueno.

—Ella me ayudó.

—¿Cómo dice?

—No llevé el equipo yo solo. Ella me ayudó.

—Y usted no la arrestó.

—No era una ladrona.

Me miró con incredulidad.

—Entonces, ¿cómo fueron a parar a su coche las dos guitarras y el amplificador?

—Lo tomó prestado.

—¿Prestado? —Su expresión se volvió más adusta—. Usted ya sabe lo que parece.

—Lo iba a devolver todo. Estaba en su coche.

—Quizás iba de camino a una casa de empeños cuando usted la pilló.

—Quizá —repuse.

Me miró con recelo.

—¿Qué está pasando en realidad?

—Su marido le pegaba. Ella sólo intentaba conseguir un poco de dinero para poder marcharse, pero no pudo hacerlo y lo devolvió todo.

—¿Y usted se lo creyó?

—No hizo falta. Vi los moretones. —Me pasé la mano por el pelo y ambos nos quedamos en silencio un momento—. Ya lo sé. He metido la pata. Me pareció que era lo correcto.

—Su trabajo no es perdonar. Su trabajo es evitar que la gente nos robe. ¿Cómo puedo confiar en que no volverá a ocurrir?

—No puede.

Su rostro no mostró reacción alguna. Al cabo de un momento se reclinó lentamente en su silla.

—No puedo despedirle. Es demasiado bueno en lo que hace. Sólo necesito saber que no se está ablandando. O queriendo que me sienta culpable.

—Ya es un poco tarde para eso.

Él se quedó allí sentado, rumiando, durante lo que pareció una eternidad.

—Está bien. Puede irse.

Me levanté y me dirigí hacia la puerta.

—Nate.

—¿Sí, señor?

—¿Denunció los maltratos?

—Por supuesto.

Regresé a mi oficina. Miche había juntado mis recibos en un montón, había apilado encima un par de diccionarios y estaba apretando con la poca fuerza que tenía. Levantó la vista para mirarme.

—Bueno, ¿qué quería el Manazas? ¿Soltaste a un pez del sedal?

—¿Es que eres adivina?

—He comido con Martsie —me miró y frunció la boca—. ¿Sabes? Tienes algo distinto, pero no podría decirte qué es exactamente. ¿Te has afeitado algo?

—Las piernas.

Se echó a reír, pero continuó estudiándome.

—Ya caeré. ¿Necesitas algo?

—No. Pero me parece que me iré a casa un poco antes. Anoche no dormí mucho.

—¿Tus invitados no te dejaron dormir?

—Indirectamente.

—No sé qué significa eso, pero aquí tienes su dirección —me entregó un post-it de color fucsia en el que había una dirección garabateada con bolígrafo negro—. Vive en Murray. —Conocía la zona. Estaba a tan sólo quince minutos de donde yo vivía—. Y gracias por la caja de bombones de tamaño industrial. No es que hiciera falta, pero…

—A todo el mundo le hacen falta bombones —dije. Doblé la nota, me la metí en el bolsillo, luego cerré la puerta y me fui a pescar.

CAPÍTULO

Seis

Stayner se cebó conmigo por haber
perdonado a esa mujer en Filadelfia.
Me pregunto qué hubiera hecho él de haber estado allí.
Una cosa es ordenar una ejecución
y otra completamente distinta es empuñar el hacha.

DIARIO DE NATHAN HURST

No podía dejar de pensar en Addison. Quería volver a verla. También quería ver a su hijo. Me pasé todo el día esperando que volvieran mis tics. Hasta había fingido uno. Nada. Por lo que yo sabía, el niño había hecho un milagro. Saqué la dirección del bolsillo y volví a mirarla. Entonces, antes de que pudiera convencerme a mí mismo de lo contrario, conduje hasta su domicilio.

Addison vivía en una casa de ladrillo rojo de un solo piso en Murray, Utah, un pequeño barrio periférico situado en medio de Salt Lake Valley. (La ciudad se hace llamar el Centro de Salt Lake. No es que sea un apodo adulador, pero probablemente hiciera sentirse importante a alguien.)

Su casa estaba en una calle sin salida situada a unas cinco manzanas de la calle State en dirección oeste y en la que había otras siete viviendas. El jardín de la parte delantera estaba un poco descuidado y en él crecían unos arbustos de espinos de fuego parcialmente aplastados por la nieve y que usurpaban terreno a la casa. Un impresionante despliegue de carámbanos pendía de la canaleta de la fachada. No había ningún coche en la entrada, pero en el interior de la vivienda había luz.

Aparqué al otro lado de la calle, frente a la casa. De repente me sentí un poco incómodo. Ella no me había dado a entender que quisiera volver a verme. Yo sabía que estaba divorciada, pero de eso hacía ya unos cuantos años y dudaba que una mujer como ella estuviera mucho tiempo sin compromiso. Que yo supiera, podía ser que tuviera una relación con alguien. Como en respuesta a mis temores, un Lexus cupé de color blanco nacarado se metió en la entrada. Un hombre bien vestido con traje de ejecutivo salió del vehículo. Se dirigió al porche y llamó al timbre. Aunque tenía curiosidad, me pareció que me comportaría como un *voyeur* si me quedara allí observando y decidí marcharme. Sin embargo, antes de que pudiera hacer girar la llave en el contacto, la puerta de la casa se abrió y la vi. Aun a distancia estaba hermosa.

Para mi consternación, parecían ser muy amigos. Ella lo abrazó y lo hizo pasar. Cuando se cerró la puerta, puse en marcha el coche y me fui al gimnasio.

Algunas personas abordan sus problemas hablando hasta la saciedad para acabar con ellos. De hecho, hay gente que disfruta tanto con la ejecución que resucitan sus problemas sólo para poder matarlos de nuevo. Yo no. Siempre que me siento tenso me voy al gimnasio; probablemente sea por eso por lo que puedo levantar casi ciento cuarenta kilos en el banco de pesas.

Mi decepción alimentó una tanda de ejercicios impresionante. Corrí en la cinta durante una hora y veinte minutos y luego bajé a la sala de pesas libres y me puse a levantar peso hasta que me ardieron los músculos. Me sentó bien volver a hacer ejercicio después de haber estado tanto tiempo enfermo.

Normalmente me ducho en el gimnasio, pero aquella noche regresé a mi apartamento vestido todavía con los pantalones cortos y la camiseta sudada. Fuera hacía frío y al cruzar el aparcamiento hacia el piso mi cuerpo desprendía vapor. Me duché, me puse una camiseta limpia y unos calzoncillos y me senté en el salón a leer.

Pasaban pocos minutos de las diez cuando oí que llamaban a la puerta. Abrí lo justo para poder mirar afuera. Addison estaba de pie en el pasillo.

—Un segundo —dije—, no estoy vestido. Me puse unos pantalones cortos y volví para abrirle la puerta.

Ella llevaba una fuente de galletas cubiertas con papel de celofán y un sobre blanco encima, sujeto con cinta adhesiva.

—Lo siento, es muy tarde. ¿Te he sacado de la cama?

—No. Estaba leyendo. Pasa.

—Gracias —se limpió los zapatos sobre el «BIENVENIDOS» de mi felpudo y entró. Cerré la puerta tras ella.

—¿Cómo supiste dónde vivía?

—Me diste tu tarjeta. Llamé a tu oficina y tu ayudante, Miche, me dio tu dirección. Espero que no te importe. Parecía muy dispuesta a ayudar.

—Sí. Seguro que sí.

Ella alzó la fuente.

—Te he hecho unas galletas. Las habría traído antes pero, como te dije, estaba trabajando.

Pensé en el hombre que llamó a su puerta y me pregunté si estaría mintiendo.

—Gracias —acepté la fuente y fui a dejarla en la encimera de la cocina.

—No es mucho, pero quería agradecerte lo que hiciste por nosotros.

—No fue nada. ¿Puedes quedarte un rato?

—Sí. Gracias —se sentó frente a mí y echó un vistazo a mi apartamento, un piso de un dormitorio rodeado de librerías.

—Tienes muchos libros.

—Los libros son mi pasión.

—A mí me encanta leer, pero casi siempre me quedo dormida. Me faltan horas —bajó la mirada al libro que tenía junto a mi silla—. ¿Qué estás leyendo ahora?

—*Matadero Cinco.*

—¿Es ése que trata del ataque aéreo contra Dresden?

—Sí.

—Parece deprimente.

—De hecho es bastante divertido. Es sorprendente lo que el sentido de la ironía puede hacer por una tragedia.

—Me temo que lo único que leo últimamente son los libros de mis hijos.

Yo seguía pensando en el hombre que había visto en su casa.

—Así pues, ¿estabas trabajando?

—Sí, bueno, soy masajista terapeuta. Es una buena manera de ganar un poco de dinero extra y poder estar en casa con mis hijos. Es probable que todavía se me note el olor a aceite en las manos.

Aquella revelación me complació.

—Entonces, ¿trabajas en casa?

—Sí. Tengo una pequeña habitación para dar masajes en el sótano.

—Y los clientes vienen a tu casa.

Ella me miró con socarronería.

—Sí.

—Eso está muy bien —dije.

Mi reacción le produjo risa.

—Está muy bien. De esta forma puedo estar en casa. ¿Te gustan los masajes?

—Nunca me han dado ninguno.

—¿Nunca?

—Es que tengo cierta manía a que me toquen —me sentí un poco deshonesto diciendo esto. En aquel momento la perspectiva de que me tocara resultaba muy agradable.

Se hizo un breve silencio entre nosotros y entonces ella sonrió con dulzura. Quise preguntarle por Collin, pero no se me ocurría ninguna forma de sacar el tema sin parecer un chiflado.

—Estaba pensando… —dijo ella—. Si no tienes otros planes, me gustaría invitarte a pasar el día de Acción de Gracias con nosotros. Sólo estaremos Collin, Lizzy y yo.

La invitación me sorprendió.

—Gracias. Desgraciadamente, tengo que salir de la ciudad.

—Ah —su rostro dejó traslucir su decepción—. ¿Tienes que trabajar?

—Voy a pasar Acción de Gracias con mi madre.

—Eso es estupendo —comentó.

Yo asentí con la cabeza, aunque no era cierto.

—¿La ves muy a menudo?

—Ya hace unos cuantos años que no.

—Estoy segura de que estará impaciente por verte.

No respondí. El silencio se volvió un tanto incómodo. Addison se levantó al cabo de un momento.

—Bueno, será mejor que vuelva con los chicos antes de que la niñera se me subleve.

—Gracias otra vez por las galletas.

—Gracias otra vez por todo lo que hiciste.

La acompañé hasta la puerta y la abrí. Ella salió y luego se dio la vuelta.

—Si cambian tus planes, mi dirección está en el reverso de la tarjeta. Comeremos a eso de las dos —vaciló—. O si quieres venir algún otro día...

—Me gustaría mucho —repuse, aunque no estoy seguro de que ella me creyera.

—Adiós, Nathan.

—Buenas noches.

Se entretuvo un momento más y a continuación dio un paso adelante y me abrazó. La sensación fue cálida y encantadora. Retrocedió.

—Buenas noches.

—Adiós.

Cuando la perdí de vista, volví a entrar. Retiré el envoltorio de plástico de la bandeja de galletas, cogí una y le di un bocado. Luego volví con mi libro mientras me preguntaba por qué no había cambiado mis planes para el día de Acción de Gracias.

CAPÍTULO

Siete

He decidido ir a ver a mi madre el día de Acción de Gracias. Todavía no sé por qué. Quizá sea la misma fuerza irresistible que nos impele a mirar un accidente de tráfico cuando pasamos conduciendo junto a él.

DIARIO DE NATHAN HURST

Hacía más de tres años que no veía a mi madre. Ésta sólo sería la tercera vez desde que me fui de casa. Había decidido visitarla hacía casi un mes y no sabía muy bien por qué. Probablemente haría falta una psicoterapia intensa o una hipnosis para entenderlo. Tenía las mismas ganas de ir que de someterme a un tratamiento odontológico.

Las tres horas de viaje en coche hasta Pocatello me proporcionaron sobradas oportunidades para dar la vuelta y regresar, y cuando me detuve cerca de la frontera de Utah con Idaho para poner gasolina, estuve a punto de hacerlo. Tuve demasiado tiempo para pensar en el pasado. Para mí, volver a casa siempre era como regresar a la escena del crimen.

Me pasé todo el camino pensando en Addison. Lamentaba no estar compartiendo con ella el día de Acción de Gracias en lugar de estar allí. ¿Qué era lo que tenía esa mujer?

«CASA DE REPOSO EDAD DE ORO». El letrero parecía igual de viejo que sus residentes. Yo odiaba ese nombre casi tanto como el lugar. Recuerdo, de niño, mirar por la ventana del coche cuando nos acercábamos allí y ver a los ancianos congregados fuera. Algunos llevaban bastón, otros se apoyaban en unos andadores cuyas patas eran como grandes pelotas de tenis de un vivo color verde, y luego estaban los que iban sujetos con correas a las sillas de ruedas. Todo aquello no tenía nada de esplendoroso. Tan sólo eran unas anticuadas y roñosas instalaciones para unos ancianos que no contaban con medios que les permitieran terminar en otro lugar. Era la mejor excusa que se me ocurría para morir joven.

El aparcamiento estaba desierto y me pregunté si sería lo normal en otros asilos para ancianos el día de Acción de Gracias. Aparqué en el primer lugar que encontré que no estaba reservado para minusválidos y me dirigí a la recepción. Mis pasos resonaron por el largo pasillo embaldosado. El olor de aquel lugar me llenaba de terror. Nunca llegué a determinar a qué olía —¿pomada Bengay, harina de avena, desinfectante, tostada quemada, bolas de naftalina, pañales?— ese caldero de aromas geriátricos.

En contraste con el olor y la melancolía palpable, el equipo de sonido reproducía alegremente una música navideña, como quien extendiera una gruesa capa de pintura sobre una superficie oxidada. Me dirigí al mostrador de las enfermeras situado al final del pasillo. Una mujer corpulenta y con cara de pocos amigos, con el cabello en tres tonos distintos de rojo y un pendiente en la nariz, estaba sentada hablando por teléfono con alguien. A juzgar por su comportamiento, además de por lo que oí de su parte de la conversación, era evidente que no le hacía ninguna gracia tener que trabajar aquel día de fiesta. No la culpaba por ello. Yo tampoco quería estar allí. Al cabo de un momento dijo:

—Tengo que dejarte. Guárdame un poco de pavo. —Colgó el teléfono y levantó la mirada—. ¿Puedo ayudarle?

—Estoy buscando a mi madre. Candace Hurst.

—Candy está en el comedor. —Me examinó con curiosidad—. Usted no es su hijo, ¿verdad? Por su aspecto podría serlo.

—Eso es porque lo soy.

—Ella dijo que había muerto.

—Todavía no —repuse.

Sólo había una media docena de residentes en la cafetería. Mi madre estaba sentada sola en una larga mesa con su festín de Acción de Gracias dispuesto en una bandeja de plástico. Había pechuga de pavo cortada en pequeños cuadraditos junto a una bola de puré de patatas perfectamente redonda, tal como queda cuando lo sirven con una cuchara de helado, todo ello cubierto con una salsa clara de jugo de carne de color castaño. Había también unos cuantos boniatos confitados, un poco de salsa de arándanos y un cuadrado de gelatina de color rojo con judías verdes suspendidas en ella.

Cuando estaba a un brazo de distancia de mi madre, ella se volvió a mirarme. Su rostro tenía una expresión perdida. No me dio la impresión de que hubieran pasado años desde la última vez que la vi; me parecieron siglos. Parecía más vieja y más menuda de lo que yo la recordaba, como si la cabeza se le estuviera hundiendo entre los hombros.

—Hola, mamá.

Ella me miró fijamente, con una pizca de puré de patatas en el labio. Al menos pasó un minuto antes de que me preguntara:

—¿Quién eres?

—Soy Nathan. Tu hijo.

—¿Quién?

Me senté en una silla a su lado.

—Nate.

—¿Tommy?

—No, no soy Tommy. Soy Nate.

—¿Dónde has estado?

—Me mudé a Utah.

—¿Por qué me dejaste, Tommy?

—No soy Tommy, mamá. —Ella se limitó a mirarme boquiabierta. Al cabo de un minuto dije—: Toma, cómete la comida —pinché un trozo de pavo y le di el tenedor. Ella me miró con suspicacia, lo cogió y se lo llevó lentamente a la boca—. Y bien, ¿qué tal te tratan? —le pregunté.

Ella masticó despacio, mirando a la distancia como si estuviera sola. Entrecrucé los dedos.

—¿Te gusta estar aquí?

Nada.

—Mi Tourette ha desaparecido —dije en voz alta por primera vez desde que me había curado—. Es un milagro.

Todavía nada.

—Han decidido suprimir las próximas elecciones presidenciales y dejar que el ganador entre los candidatos se decida en un combate de lucha libre. El ganador se lo lleva todo. Podremos verlo en un canal de pago de televisión.

Después de esto ninguno de los dos dijo nada. Al cabo de media hora dejó de comer del todo. Entonces, de repente, me miró con los ojos entrecerrados, como si intentara ver a través de la niebla de su demencia.

—Te echo de menos, Tommy.

Solté aire enérgicamente.

—Está bien, me marcho.

Salí de aquel lugar con paso brioso, enojado, pero con el alivio de librarme de sus olores y recuerdos. Entré en el coche. Me quedé sentado allí en el aparcamiento un momento. Puse en marcha el reproductor de cedés para que ahogara mis pensamientos, pero la música no tuvo ningún efecto.

Me odiaba a mí mismo por haber vuelto. ¿Por qué lo había hecho? ¿Para castigarme? ¿Para demostrar que en realidad no podía ser tan malo como yo lo recordaba?

Una vez leí una historia sobre un musulmán que fue en peregrinación a la Meca de rodillas, recorriendo así cientos de kilómetros hasta que la piel le quedó en carne viva y sangrante. Quizá sólo sea cosa de la naturaleza humana, el deseo de sufrir por nuestros errores. O quizás es que estoy loco.

Einstein dijo que la locura era hacer lo mismo una y otra vez y esperar un resultado distinto. Tal vez ése sea yo. ¿Qué me esperaba? ¿Algo diferente? ¿Qué anhelaba? ¿El perdón? ¡Eso sí que tiene gracia! Para mí el perdón sería como esperar el autobús de mediodía a medianoche. Metí la llave en el contacto. Al cabo de un momento puse el coche en marcha y volví la mirada hacia el edificio una vez más.

—Yo también te echo de menos, Tommy.

CAPÍTULO

Ocho

Me siento como si me hubieran entregado
una orquídea digna de un premio.
Y yo no puedo hacer crecer ni las malas hierbas.

DIARIO DE NATHAN HURST

Tal vez fuera el dolor que me causó la visita o la desnudez del paisaje en el camino de vuelta a casa, la cuestión es que de pronto me invadió una dolorosa sensación de futilidad. En mi vida todo era lastimosamente igual. La misma visita a mi madre, la misma experiencia en una ciudad que no cambiaba nunca. El mismo camino de regreso en coche y hacia el mismo trabajo. El mismo apartamento solitario. Hacía años que no había cambiado nada en mi vida. Puse la radio. No, sí que había cambiado algo en mi vida. Se me había curado el Tourette. Sin embargo, me di cuenta de que había perdido algo más que mis tics; había perdido parte de quien creía ser.

Llevaba la dirección de Addison por si acaso cambiaba de idea respecto a ir a visitar a mi madre. Lamenté no haberlo hecho. Miré el reloj del salpicadero. Serían más de las cinco cuando llegara a Salt Lake City. Decidí que no había ningún problema. Mejor tarde que nunca.

Cuando llegué a casa de Addison, ya había anochecido. Aparqué el coche en el camino de entrada y subí las escaleras de cemento hasta el porche. Había dibujos de Santa Claus y de renos hechos con lápices de colores y pegados con cinta adhesiva a los estrechos paneles de cristal esmerilado que flanqueaban la puerta principal. Oí que alguien tocaba una melodía de gran simplicidad con un solo dedo al piano. Cuando pulsé el timbre, la música cesó y fue reemplazada por los ladridos agudos e histéricos de un perro.

Al cabo de unos segundos se abrió la puerta. La pequeña Elizabeth apareció en la entrada. Soltó un chillido al verme y se alejó corriendo, dejándome en el porche.

—¡Es ese hombre! —gritó—. Está en nuestra casa —el perro seguía ladrando histérico.

Entonces oí la voz de Addison.

—Cállate, *Goldie*. ¡Chitón! —El perro dejó de ladrar de pronto. Addison acudió a la puerta con un pequeño perro pomeranian de pelo dorado en los brazos. Sonrió al verme—. Has venido —dijo alegremente—. Pasa.

—Llego tarde —comenté, aunque supongo que ella ya se había dado cuenta.

—Me alegra que hayas venido. Lamento que Lizzy te haya dejado fuera.

—No te preocupes.

Elizabeth regresó a la habitación y se quedó apoyada en la pared de enfrente, mirándome. Collin se dio media vuelta en la banqueta del piano y se quedó allí sentado, mirándome también. No llevaba la gorra ni la máscara y la luz amarillenta de una bombilla se reflejaba en su suave calva reluciente.

Addison dejó el perro en el suelo. El animal me husmeó la pierna y salió corriendo.

—Dame el abrigo.

—Gracias —me quité la parka y ella la llevó a otra habitación. Les sonreí a los niños. Ellos se limitaron a mirarme fijamente.

—Bueno, al final no fuiste a ver a tu madre —dijo Addison al regresar.

—Sí que fui. Pero no me quedé el rato que había planeado. No se encontraba demasiado bien.

—Lo lamento. Creía que vivía fuera de la ciudad.

—Está en Pocatello.

—¿A qué distancia está eso? ¿A unas cuatro horas en coche?

—Tres y media. Conduzco rápido.

Ella sonrió.

—Bueno, nos ha sobrado un montón de comida. Permíteme que te prepare un plato. Tengo pavo, relleno y bollos Parker House. ¿Qué te parece un bocadillo de pavo en un bollo?

—No, estoy bien.

—¿Siempre te cuesta tanto aceptar lo que te ofrecen?

Sonreí ampliamente.

—Lo del bocadillo me parece estupendo.

—Bien. Siéntate. Estoy segura de que los chicos te entretendrán.

Addison salió de la habitación y los niños siguieron mirándome fijamente. Tomé asiento en un cómodo sofá tapizado de tela vaquera.

—¿Qué tal, chicos?, ¿habéis comido bien? —pregunté.

Elizabeth salió corriendo de la habitación. Collin asintió con la cabeza.

—¿Habéis comido mucho?

Volvió a asentir. Entonces se levantó y se marchó también. Al cabo de unos minutos Addison volvió con un plato y un vaso.

—Aquí tienes. —Me puse el plato en el regazo—. Y te he traído un poco de sidra. Pero también tengo refrescos. Coca-cola, Sprite y Shasta Cream.

—La sidra es perfecta —tomé el vaso y di un sorbo.

Ella se sentó a mi lado.

—De manera que has espantado a mis hijos.

—Produzco ese efecto en los niños.

—Normalmente no consigo hacer que Lizzy se calle cuando vienen mis clientes. Es probable que no estén acostumbrados a tener a un desconocido en casa que no haya venido a darse un masaje. —Sonrió—. No digo que tú seas un desconocido.

—No presupongas tan rápido —dije.

—Lo siento, será mejor que vaya a ver qué están haciendo. Volveré enseguida. —Tomé otro bocado mientras recorría la habitación con la mirada. Era modesta, pero tenía mucha luz. Había fotografías de los niños en las paredes y encima de todas las superficies. Me fijé en que su padre no aparecía en ninguna de ellas. Una de las fotografías de Collin parecía bastante reciente, sólo que en ella tenía pelo. Era del mismo color que el de su madre.

Addison regresó.

—Están jugando con la Nintendo —explicó. Se sentó en el otro extremo del sofá—. Bueno, háblame de ti. ¿Quién es Nathan Hurst?

—¡Menuda pregunta!

—¿Es una buena pregunta?

—Dejaré que eso lo decidas tú. La historia de Nathan Hurst es un relato de oportunidades desperdiciadas y de amor perdido.

—Parece prometedora. Continúa.

—Nací en la próspera metrópolis de Pocatello, Idaho, donde la patata es la reina. Me trasladé a Utah cuando cumplí los dieciséis años, conseguí un trabajo en MusicWorld aquella misma semana y sigo aquí.

Ella me miró con expectación.

—¿Y?

—Y una vez me encontré con Tony Danza en un restaurante. En realidad, no me encontré con él, sólo lo vi. Iba con un montón de gente.

—¿Eso es todo?

Asentí con la cabeza y dije:

—Danza es un tipo muy famoso.

—Me refiero a tu vida.

—Esto la resume bastante bien.

—Es la peor versión resumida de una vida que he oído jamás. Ya veo que tendré que curiosear.

—Adelante —le di un mordisco al bocadillo.

—Tu madre sigue viva, ¿y tu padre?

Tuve que terminar de masticar.

—Murió cuando yo tenía nueve años.

Ella frunció el ceño.

—Lo siento mucho. ¿Tienes hermanos?

—Un hermano.

—¿Y todavía vive en Pocatello?

—Murió. Un año antes que mi padre.

Ella meneó la cabeza.

—No hago más que pisar minas, ¿verdad?

—Así es mi vida. Un enorme campo de minas. Mi madre es lo único que me queda y ha estado en un asilo desde… desde siempre. Sufre de demencia. De hecho, ya no sabe quién soy. —Me recliné en el asiento y suspiré—. ¿Lo ves? La versión resumida era mejor.

Addison me miró con expresión compasiva.

—Me alegro de que vinieras. Y no me gusta alardear, pero mi pastel de manzana es de lo mejor. ¿Te gustaría probar un trozo?

—Me encantaría.

—Vamos a la cocina. Allí se está más caliente.

La seguí. La cocina era pequeña, el suelo era de linóleo y había una mesa de roble amarilla con cuatro sillas.

—¿Te apetece con un poco de crema batida?

—Claro.

Addison levantó una lata de Reddi-wip, pero sólo salió aire de ella. Suspiró.

—Lo siento, se nos ha terminado la crema batida. Elizabeth se la come directamente de la lata —me trajo un pedazo de pastel y lo puso sobre la mesa con un tenedor—. ¿Quieres un poco de café?

—¿Tienes descafeinado?

—En realidad, es el único que tengo.

—Estoy de suerte.

Volvió a la encimera, regresó con dos tazas y tomó asiento frente a mí.

—El pastel está muy bueno.

—Es uno de mis limitados talentos. Me encanta hacer pasteles. Y soy adicta a los programas de cocina de la tele.

—Bueno, yo te he contado los detalles sórdidos de mi pasado. ¿Qué me dices de los tuyos?

—Nací en Arcadia, California, que es la zona residencial más cercana al paraíso que puedes encontrar. Vivíamos a unos tres kilómetros del hipódromo de Santa Anita. En esa zona abunda la hiedra y las palmeras. Los pavos reales deambulan por las calles y se sientan en los tejados de las casas. Mi padre era ingeniero. Cuando yo tenía doce años, le ofrecieron un trabajo en Virginia, de modo que nos mudamos. Allí es donde conocí a mi ex. Nos casamos y nos trasladamos a Utah hará unos diez años. En aquel entonces estaba embarazada de Collin. Nos divorciamos hará poco más de dos años —suspiró—. Ha habido muchas pérdidas en estos últimos tiempos. Mi madre murió hará un año y mi padre hace doce días. Falleció el día del cumpleaños de mi madre. No creo que fuera una coincidencia. Él nunca iba a ninguna parte sin ella.

—¿Cuánto tiempo estuvieron casados?

—Cuarenta y un años —respondió con una sonrisa—. Es exactamente como debía ser. Mi padre solía decir: «El motivo por el que nuestro matrimonio ha durado tanto tiempo es porque yo tomo todas las grandes decisiones y Chrystal todas las pequeñas». Y entonces siempre añadía: «En cuarenta años de matrimonio nunca ha habido que tomar ninguna gran decisión». —Se rió y luego dijo en voz más baja—. Tras la muerte de mamá no fue ni sombra de lo que había sido. La quería muchísmo. Era muy buen hombre. Tuve suerte de poder verlo antes de morir. —Sus labios esbozaron una leve y dulce sonrisa—: Mi padre era un verdadero romántico. Solía cantarnos canciones de Andrea Bocelli a mi madre y a mí. No es que supiera cantar, pero lo que le faltaba de voz lo compensaba con sentimiento. O quizá sólo fuera volumen. Nuestra canción favorita era «Con te Partirò», «Es hora de decir adiós».

»La última noche que pasé con él estuvimos hablando todo el tiempo. Sufría muchos dolores, pero intentó que yo no lo notara. A eso de las cinco de la madrugada se quedó muy callado. Supe que se acercaba la hora. Entonces me miró de pronto… —hizo una pausa y se le llenaron los ojos de lágrimas—. Ya sabes, esa mirada de cuando no vas a volver a ver a alguien nunca más. Nos limitamos a mirarnos. Entonces dijo: "Es hora de decir adiós". Y se fue. —Addison agachó la cabeza. Dejé que la emoción de lo que me había explicado me inundara. Pasaron unos minutos y entonces le dije:

—Qué suerte la tuya de tener unos padres así.

—Lo sé —se enjugó los ojos—. Podría pensarse que con unos padres como los míos tendría que hacerlo mejor a la hora de elegir un compañero. Por lo visto, no heredé esa habilidad.

—¿Ese «ex» tiene nombre?

—Normalmente lo llamo Darth Vader, pero se llama Steve.

—Elizabeth dijo que se marchó. Me parece que también dijo que era un «miserable».

En el rostro de Addison se dibujó una mueca de disgusto como si acabara de probar algo de horrible sabor.

—Me siento muy avergonzada por eso. Yo nunca digo nada malo de su padre delante de los niños. Me oyó hablando por teléfono.

—Y bien, ¿es un miserable?

—El día de nuestro aniversario me dijo que me dejaba.

—Creo que con eso es más que suficiente para considerar que lo es.

—Es peor. Estábamos pasando unas vacaciones maravillosas en Mazatlán, cenando espléndidamente y yo me sentía toda romántica cuando de pronto dijo algo así como: «¿Qué tal está tu salmón? Te voy a dejar por otra». No pudo entender por qué no me quedé a terminar la cena. Cambió dos hijos y diez años de matrimonio por una rubia de veintitrés años de Venice Beach, una modelo de sujetadores.

—¿Una modelo de sujetadores?

—¡Oh, sí! Me lo soltó como si creyera que me iba a sentir orgullosa de él.

—De manera que tiene unos cuantos cables sueltos.

Ella sonrió irónicamente.

—Sabes que antes de comprar una casa contratas a alguien para que venga a inspeccionarla y redacte un informe para los compradores, ¿no? Alguien debería hacer lo mismo con los maridos. Antes de casarte, habría que realizar una inspección completa para averiguar si hay algo roto, si se puede arreglar y cuánto costaría la reparación.

Eso me hizo gracia.

—Tienes razón, sólo que la mayoría de la gente está más interesada en casarse que en hacerlo bien. Mantienen los ojos medio cerrados antes del matrimonio y los abren después. Una vez le dije a una amiga que me parecía que estaba cometiendo un error con el tipo con el que se iba a casar. Ella me dijo: «Bueno, puesto que estamos siendo sinceros la una con la otra, tú tienes demasiado equipaje para volverte a casar, y deberías cambiar de desodorante».

—¡Caray!

—Sí. Después de eso no dije nada más. Su matrimonio no duró ni un año. Quería hacer eso de «ya te lo dije», pero no tenía sentido. Al menos cambié de desodorante.

Addison rió.

—Se nota que todavía estoy un poco resentida, ¿verdad?

—Aparte de porque lo llamas Vader, no, no se te nota resentida en absoluto.

—Ahora mismo estoy muy enojada con él. Collin acaba de pasar por esos horribles tratamientos de quimioterapia y Steve no ha venido a verlo ni una sola vez. Tengo que inventarme excusas continuamente para justificar el porqué no está ahí y que su hijo no sienta que no vale nada. —Meneó la cabeza—. ¿Qué tal si cambiamos de tema? Háblame de tu trabajo.

—Me paso el día sentado frente a un ordenador a la caza de ladrones. Es muy parecido a un videojuego, pero no hay ninjas y no tengo que dispararle a nadie.

—¿Cómo puedes saber si alguien roba mirando un ordenador?

—Hay trucos. Claro que si alguien saca algo de la tienda a escondidas no se puede hacer gran cosa al respecto, pero normalmente intentan convertir el botín en dinero, expiden recibos de devoluciones. La caja registradora es como el queso de una ratonera, pero siempre dejan un rastro.

Addison tomó un sorbo de café.

—¿Siempre quisiste ser detective de empresa?

—No, mi objetivo era ser abogado, pero empecé a trabajar en MusicWorld al terminar el instituto y acabé en seguridad. Pagan bien, tengo mi propio despacho y una ayudante.

—Miche.

Asentí con la cabeza.

—Miche hace que mi vida sea mucho más llevadera. Como al reservar la habitación de hotel en Denver.

—Sí, me cae bien —dijo Addison con decisión. Miró mi plato vacío—. ¿Quieres un poco más?

—No. Pero estaba muy bueno —permanecimos allí sentados unos momentos. Al cabo de un rato la miré a los ojos—. ¿Puedo preguntarte algo un poco extraño?

De pronto pareció nerviosa.

—No lo sé. ¿Qué quieres decir con extraño?

Aunque parezca mentira, su paranoia me resultó reconfortante. Respiré hondo.

—Aquella noche en la habitación del hotel ocurrió algo.

—¿Quieres decir, entre nosotros?

—Bueno, no era precisamente a eso a lo que quería llegar... —entonces me sentí como un completo idiota—. Mira, da igual, no es nada.

Addison bajó la mirada un momento y entonces dijo:

—Collin te curó.

—¿Lo sabías?

—Estaba prácticamente segura.

—¿Cómo es posible?

Ella se quedó mirando la mesa un momento y entonces tomó aire, como si se hubiera resignado a hablar.

—Collin nació con atresia tricuspídea. Esto significa que una de las válvulas de su corazón no llegó a desarrollarse, de manera que, básicamente, su cuerpo está funcionando sólo con medio corazón. Tuvieron que operarle casi inmediatamente después de su nacimiento para ponerle una derivación. Le dieron un cuarenta por ciento de probabilidades de supervivencia. Pero Collin es un luchador y lo superó. Me dijeron que, si sobrevivía, algún día necesitaría un trasplante de corazón, pero de momento está bien.

»Hace poco más de un año, desarrolló una endocarditis: una ampolla en el corazón, del tamaño de una nuez y un foco de infección bacteriana. Tuvo que someterse a una operación muy seria. Yo ayuné y recé, pero durante la cirugía las cosas salieron mal. —Tragó saliva—. Collin murió en la mesa de operaciones. Estuvo muerto casi seis minutos antes de que lo resucitaran. Yo no lo supe hasta que él estuvo en la sala de recuperación y el médico me lo contó. Dijo que no sabían si se habría producido daño cerebral. No lo había, gracias a Dios, pero entonces, al cabo de unos días, Collin me contó que, al morir, abandonó su cuerpo.

—¿Le creíste?

—Al principio no, francamente. Pensé que tal vez lo había soñado. Después, al cabo de una semana, yo estaba tejiéndole un gorro cuando me dijo: «No deberías haber tirado el otro gorro, mamá. Me gustaba».

»—¿Qué otro gorro? —le pregunté.

»—El que tiraste en el hospital.

»Mientras estaba en la sala de espera del hospital había empezado a tejerle a Collin un gorro largo con borla. Pero la operación tardó casi dos horas más de lo que me habían dicho. Ya lo tenía medio terminado, pero estaba tan nerviosa y alterada esperando que me dijeran algo que se me escapaban los puntos continuamente. Al final lo tiré todo, agujas incluidas. Le pregunté cómo sabía lo del gorro. Me dijo que estaba de pie a mi lado cuando lo tiré.

»Entonces le hice preguntas sobre otras cosas. La sala de espera estaba bastante llena aquel día, pero recordé que había una joven familia asiática sentada en una esquina de la habitación. Tenían un bebé que no dejaba de llorar. Collin me dijo que había unas personas chinas con un bebé que lloraba. Era imposible que lo supiera. Incluso describió las flores de la sala de espera.

—Es asombroso.

—Lo que sí es asombroso es que describiera otras cosas que no eran de este mundo. Fue a otro lugar que dijo que era muy hermoso. Creo que podría haber sido el cielo.

Por un momento me quedé sin saber qué decir.

—¿Cuándo descubriste que podía curar?

—Fue a las pocas semanas de la operación. Lizzy había cogido unas rosas, las puso en un jarrón sin agua y luego se olvidó de ellas. Cuando al final se acordó de las flores, éstas ya se habían marchitado y la niña empezó a llorar. Collin cogió las rosas y me las dio. Literalmente, vi cómo recuperaban el color. Fue lo más hermoso que he visto nunca.

—Tienes que contárselo a la gente. Imagina lo que Collin podría hacer. Podría cambiar el mundo.

Su expresión se endureció de inmediato.

—No. No tienen que enterarse.

—¿Por qué?

—Lo que hace tiene un precio. Se pone enfermo cada vez. No sé si el efecto es permanente, pero en su estado… Me temo que lo está matando. —El dolor inundó su mirada—. Lo primero que me pregunto cada mañana es cuántos días me quedan para estar con él. Cada vez que cura a alguien se pone más enfermo. ¿Te imaginas lo que pasaría si la gente supiera lo que puede hacer? —Me miró intensamente a los ojos—. Se llevarían a mi pequeño.

Al cabo de un instante dije:

—Claro. No se lo diré a nadie.

Ella alargó la mano y tomó la mía.

—Sé que no lo harás. Collin me dijo que tú nos protegerías.

Ladeé la cabeza.

—¿Eso dijo?

—Uno de los dones de Collin es la habilidad de interpretar el aura de la gente. Sabe cosas de las personas que ni ellas mismas saben. Sabía cosas sobre mi ex.

Todo empezaba a tener sentido.

—¿Por eso cambiaste de opinión en cuanto a quedaros conmigo en el hotel?

—Collin me dijo que eras un buen hombre.

El hecho de que dijera esto tuvo en mí un efecto curioso. Me hizo dudar del don del niño: si de verdad hubiera conocido mi pasado, no habría dicho eso.

—Este don también tiene un inconveniente —continuó—. Siempre sabe si estoy triste, no importa lo mucho que yo me esfuerce para disimularlo. Y parece ser que últimamente lo estoy muy a menudo.

Collin entró en la habitación en aquel preciso momento. A la luz de nuestra conversación, la normalidad de todo aquello se me antojó surrealista.

—Mamá, ¿puedo comer un poco más de pastel?

—Claro —Addison se levantó, cortó un pedacito de tarta y se lo puso en un plato de papel—. ¿Lizzy no quiere?

—Ella sólo quiere crema batida.

—Se la ha terminado toda.

—Ya se lo he dicho.

Addison cortó otro trozo de pastel y lo puso en un plato separado.

—Cuando terminéis será hora de irse a la cama. Y no olvidéis cepillaros los dientes.

—Pero, mamá, estamos en el nivel siete.

—Como si estáis en el nivel setenta.

—Mario no tiene setenta niveles. Nunca había llegado al siete.

—Tenéis diez minutos más, luego apagadla.

—Está bien —salió con el pastel.

Ella se volvió a mirarme y sonrió.

—Es duro ser madre, guiar sus vidas constantemente.

—Lo estás haciendo bien. Me refiero al papel de mamá.

Volvió a sentarse y me miró como si esperara que le hiciera otra pregunta.

—¿Tiene algún otro don?

—Uno con el que no sé qué hacer. A veces dice que ve a gente del otro lugar. No lo llevo muy bien. Me da miedo, de modo que no lo animo a que me hable de ello. Es como si desde que fue a ese otro lado tuviera un pie en cada mundo. No me siento preparada para algo así. Estoy segura de que otra persona manejaría mucho mejor la situación.

—Lo dudo.

Sonrió agradecida.

—¿Cómo asimila todo esto un niño pequeño?

—Para él, es normal. No sabe más. Si se muestra reservado al respecto, es porque yo le dije que lo fuera, nada más. Pero de vez en cuando actúa por su cuenta. Como contigo.

—¿Tú no tenías ni idea de que iba a curarme?

—No.

—De haberlo sabido, ¿se lo habrías impedido?

—Probablemente —pareció algo avergonzada.

—Es un buen chico, ¿verdad?

—Nunca he conocido a nadie con un corazón tan grande. Lo cual resulta irónico, puesto que sólo tiene medio. —Mientras reflexionaba sobre su comentario, me fijé en el reloj que había en la cocina y me di cuenta de la hora que era.

—Se está haciendo tarde. Será mejor que me vaya para que puedas acostar a los niños.

Pareció decepcionada.

—Iré a por tu abrigo. —Me lo trajo hasta la puerta principal. Salí al porche y ella me siguió, cerrando la puerta al salir. Se acercó a mí y sus ojos casi parecían destellar—. No tienes ni idea del tiempo que llevo queriendo contarle a alguien lo de Collin. Es un gran alivio.

—Me alegro de que confíes en mí.

Se acercó más, hasta que nuestros cuerpos se tocaron.

—Lo que he dicho antes, lo de que casi siempre estoy triste. Desde que nos conocimos no me he sentido tan triste.

La miré a los ojos.

—Ya que estamos compartiendo confesiones, yo no he dejado de pensar en ti desde el día del hotel. —Una sonrisa se dibujó en su rostro. Me incliné y nos besamos. Al separarnos seguimos mirándonos a los ojos y nuestro aliento se helaba en el aire entre los dos—. ¿Sabes?, esta mañana ha sido horrible —le dije—, pero la verdad es que el día ha acabado siendo estupendo.

—El mío también.

—¿Qué haces mañana por la noche?

—Prometí a los niños que iríamos a ver las luces de Navidad del centro. ¿Quieres venir?

—¿Luego os puedo invitar a todos a cenar?

—Sería divertido. A los niños les encanta comer fuera, pero rara vez lo hacemos. No me llega el presupuesto.

—¿Cuál es su lugar favorito para ir a comer?

—Cualquier sitio donde hagan pizzas o espaguetis, o que tenga arcos.

—¿Qué te parece The Old Spaghetti Factory?

—¡Uy! Serás su héroe. —Ladeó la cabeza—. Ya eres un héroe. Ya me salvaste una vez —se acercó a mí y volvimos a besarnos.

—¿A qué hora? —le pregunté.

—¿Qué? —repuso ella, aún sumida en la emoción.

—¿A qué hora quieres que os pase a recoger?

—¡Ah! Puede que tengamos que ir a comer primero. Los niños tienen que estar en la cama antes de las nueve. ¿Las cinco y media es muy pronto?

—A las cinco y media entonces. Hasta mañana.

Ella se quedó esperando en el porche, con los brazos cruzados para protegerse del frío, hasta que puse el coche en marcha. Me dijo adiós con la mano mientras me alejaba de su casa. Me sentí como si acabara de entrar en una realidad alternativa, como aquellas de las que normalmente despiertas. Una hermosa madre soltera que se comportaba como si yo caminara sobre las aguas y un niño que quizá pudiera hacerlo de verdad. No sabía cuál de los dos era más excepcional.

CAPÍTULO

Nueve

A veces pienso que lo único que he conocido son seudorrelaciones.

DIARIO DE NATHAN HURST

Supongo que no podía imaginarme qué era lo que Addison veía en mí. Me preguntaba si quizás el universo me estaba retribuyendo por todos los años en los que se me había negado el afecto, una idea que no encajaba bien conmigo, puesto que no confiaba en el universo. Era mucho más probable que estuviera jugando conmigo de la misma manera que un gato juega con un ratón antes de matarlo. No es que Addison fuera la primera chica que se hubiera mostrado interesada en mí. A lo largo de mi vida casi siempre había tenido novia. Una vez oí decir que todas las personas necesitan amor, y que si se les niega lo encontrarán —el amor o un sucedáneo aceptable— en cualquier otra parte. Como mi madre me había abandonado, yo siempre iba a la caza de amor. Atraer relaciones es una habilidad y, a pesar de mis tics, a mí se me daba muy bien. Hacía apenas tres meses había tenido una relación bastante seria. Pero mis relaciones nunca duraban. Era como si tuvieran fecha de caducidad, como los cartones de leche.

Addison suponía un claro cambio respecto a las demás mujeres de mi vida. La diferencia más obvia era que tenía hijos. Poseía una cualidad maternal, lo cual es casi la fuerza más poderosa de este mundo. Yo tenía tendencia a atraer a las del tipo contrario: chicas que, al igual que yo, rehuían el compromiso.

No obstante, si bien parecía que mi modus operandi eran las relaciones desechables, había empezado a cansarme de ellas. No había duda de que Addison era la clase de mujer junto a la que se podría construir una vida adecuada. Lo que pasa es que yo no era la clase de hombre apropiado.

Esta idea me llenó de terror. Nuestra relación apenas había empezado y ya estaba condenada al fracaso.

CAPÍTULO

Diez

Addison me llevó a un lugar que nunca había esperado volver a ver.

DIARIO DE NATHAN HURST

Cuando detuve el coche en el camino de entrada, Collin y Elizabeth estaban sentados en el porche vestidos con ropa para la nieve. Al salir del vehículo Elizabeth entró corriendo en casa. Collin se quedó allí sentado, mirándome tranquilamente. El gorro largo se ajustaba perfectamente a su suave calva, pero la parka era demasiado grande para su cuerpecito. Le quedaba muy alta en los hombros, como si llevara hombreras de fútbol.

—Hola, Collin. ¿Estás listo para pasar un buen rato?

—Claro.

Se abrió la puerta principal y Elizabeth salió saltando.

—Collin, vamos a ir a The Old Spaghetti Factory.

—Guay.

Addison salió detrás de la niña. Me sonrió.

—Hola.

Nos encontramos al pie de las escaleras del porche. Quise besarla, pero ella se apartó y sólo me abrazó a medias. Resultó algo incómodo.

—¿Qué tal te ha ido el día? —pregunté.

—Ha ido bien. ¿Tengo que coger mi coche?

—Puedo conducir yo.

—Niños, subid atrás en el coche del señor Hurst.

Corrieron hacia mi coche. Mientras ellos entraban en el vehículo, Addison se dio la vuelta y me besó.

—Lamento haberte puesto la mejilla. No quiero desconcertar a los niños todavía.

Para mí fue una noche distinta. Por primera vez desde que tenía ocho años sentí que formaba parte de una familia. Elizabeth me tomó de la mano al entrar en el restaurante.

Minutos después de que hubiéramos pedido, Collin me preguntó:

—¿Estás casado?

Addison se tapó los ojos con las manos.

—No.

—¿Estás divorciado?

—No. Nunca me he casado.

—Entonces no tienes hijos, ¿verdad?

—No. Vosotros sois los únicos niños que conozco.

Se reclinó en su asiento.

—Guay.

Los niños pidieron gaseosas servidas en vasos largos y se emocionaron al enterarse de que podían quedárselos. Addison sonreía encantada al ver lo bien que se lo estaban pasando sus hijos. Estaba radiante y cada vez que la miraba me parecía más hermosa.

Después de cenar fuimos al centro. Antes de llegar a Temple Square, nos encontramos con un atasco que se extendía por varias manzanas. A medida que nos aproximamos al centro de la ciudad, las aceras empezaron a llenarse de gente que se movía en tropel por los pasos de peatones.

—¡Mira qué de gente! —dije sin intentar ocultar lo poco que me gustaban las multitudes.

Addison soltó un quejido.

—Claro. Esta noche encienden las luces. Media ciudad está aquí. ¿Cómo he podido olvidarme? —Se volvió hacia el asiento trasero—. Niños, tendremos que volver otro día.

—Oh —dijo Elizabeth.

Collin no dijo nada. Al terminar la cena tenía aspecto de estar cansado y había hablado muy poco desde que salimos del restaurante.

—De todos modos, ya estamos atrapados en el tránsito —dije—, así que daremos la vuelta a la manzana y podréis ver las luces de la calle. —Miré a Collin por el espejo retrovisor—. ¿Cómo te encuentras, jefe?

—Estoy bien —contestó.

Tardamos casi media hora en rodear la plaza. Llegamos de vuelta a su casa a las ocho. Addison le dio la llave de casa a Collin.

—¿Ayudarás a Lizzy a prepararse para ir a la cama?

—Claro. —Nos miró con recelo—. ¿Vas a alguna parte?

—No, entraré enseguida —respondió Addison—. ¿Y vosotros no os olvidáis de una cosa, chicos?

—Gracias, señor Hurst —dijo Collin.

—Gracias por los vasos —dijo Elizabeth.

—De nada.

—Ahora cepillaos los dientes y poneos el pijama. Y mirad si *Goldie* tiene agua. Yo voy enseguida.

Corrieron por el sendero que conducía a la puerta llevando sus preciados vasos de refresco de The Old Spaghetti Factory.

—¿Mañana trabajas? —me preguntó Addison.

—Tengo que tomar un vuelo a Oklahoma.

—¿Y tienes prisa por volver a tu casa?

—No si puedo evitarlo.

—Bien. Porque tengo un regalo de cumpleaños retrasado para ti. Pero tendrás que entrar para que pueda dártelo.

Una vez dentro, Addison se quitó el abrigo, cogió el mío y dejó ambos en el sofá.

—¿Quieres tu regalo ahora?

—¡Por supuesto!

—Vuelvo dentro de un minuto —ladeó la cabeza y añadió—: Tengo que preparar un par de sorpresas. —Dejó a *Goldie* en la cocina, comprobó si sus hijos se habían acostado y bajó corriendo las escaleras. Pasaron casi diez minutos antes de que regresara. Sus ojos denotaban excitación.

—Ven —dijo. Me tomó de la mano y me hizo bajar por las escaleras hasta el sótano inacabado. Nos detuvimos frente a la primera puerta—. Bien, cierra los ojos.

—¿Qué hay tras esta puerta?

—Ya lo verás. Cierra los ojos o estropearás mi sorpresa.

Obedecí. Me tomó de la mano y me hizo entrar en la habitación.

—Muy bien, ya puedes abrirlos.

Al abrir los ojos me encontré en lo que parecía una exótica tienda árabe. Unas sábanas doradas de satén pendían de las paredes sin terminar del sótano formando grandes pliegues sobre el suelo alfombrado. Unas lámparas colgadas en las esquinas proyectaban suaves haces de luz áurea y rosada que jugaban con el dorado más oscuro de las sábanas. La habitación estaba más caliente que la casa y oí el leve zumbido de un calefactor a través del sereno sonido ambiental de unas olas marinas rompiendo en la costa. Llenaba la habitación un intenso olor que, combinado con el sonido y la iluminación, me hizo sentir como si de repente me hubieran transportado a otro reino.

Pegada a una de las paredes había una mesa estrecha con varias botellitas de color azul y un par de frascos más grandes. Una pieza de cerámica que sostenía una vela parpadeante descansaba junto a los frascos. En el centro de la habitación vi el otro único mueble: una camilla de masaje cubierta con sábanas doradas.

—¡Caramba! —exclamé—. Esto sí que no me lo esperaba. Es tan… lujoso.

—Es mi cuarto de masajes —Addison sonrió—. Sé que es un tanto estridente. Lo decoré esta mañana en tu honor. Quizá me he pasado. Parece un burdel.

Me reí, contento de que se hubiera tomado tantas molestias por mí.

—Yo no diría tanto. Y huele muy bien.

—Es ylang-ylang, sándalo, lavanda y romero. El regalo que me gustaría darte es un masaje. —Vaciló—. Sé que dijiste que no creías que te gustara, pero tengo el presentimiento de que podría gustarte.

No estaba seguro de que estuviera en lo cierto, pero no iba a rechazar su regalo.

—¿Por dónde empezamos?

—Primero desnúdate. Si te parece bien. Estarás tapado todo el tiempo —dijo, y añadió con ironía—. Soy una profesional.

Empecé a desabrocharme la camisa.

—Saldré fuera. Cuando estés listo túmbate boca abajo y apoya la cara en el reposacabezas. Luego tira de la sábana hasta arriba.

Cuando se fue, me quité la ropa y la dejé amontonada en la esquina. Me subí a la camilla, tiré de la sábana hasta la cintura y puse la cara en el cojín tal como me había indicado. La camilla era firme, pero cómoda y, con aquella música, ya me sentía más relajado. Al cabo de un minuto Addison me preguntó en voz baja desde fuera:

—¿Estás listo?

—Sí.

Oí que volvía a entrar en la habitación.

Me puso la mano en la espalda.

—Sé que es tu primera vez, de manera que si hay algo que no te gusta dímelo e iré más despacio, lo haré con más o menos suavidad o pararé del todo. No quiero que tengas ningún reparo en decirme exactamente lo que te gusta. Tú mandas. ¿De acuerdo? Durante la próxima hora todo depende de ti.

—Eso me gusta.

—Ya me lo figuraba.

Addison bajó la sábana hasta la cadera. Luego me echó un poco de aceite tibio en la espalda. Cerré los ojos al oír que se frotaba las manos a un ritmo rápido y acompasado.

Me puso las manos en la parte baja de la espalda y empezó a dar un suave masaje. Sus movimientos rítmicos, lentos y delicados fueron ascendiendo por mi espalda y trazaron círculos sobre el contorno del cuello y los hombros para luego volver abajo y empezar de nuevo.

—Eres muy musculoso —susurró.

Oí que su respiración se enlentecía con la mía. Músculo a músculo mi cuerpo se calmó bajo sus caricias hasta que me quedé completamente relajado. No exagero cuando digo que estaba más relajado de lo que había estado en toda mi vida.

Las manos de Addison se calentaron cuando pasaron de un contacto suave y extendido a una presión más rápida y concentrada. Su tacto poseía algo nutritivo y me pregunté si, tal vez, lo de curar les venía de familia. Además de las palmas de sus manos, noté entonces sus dedos y antebrazos presionándome la espalda. Empecé a quedarme dormido. Me sumí en la inconsciencia y emergí de ella varias veces, y no me di cuenta de que estaba durmiendo hasta que ella me susurró suavemente:

—Ha llegado el momento de darse la vuelta.

Levantó la sábana para taparme, pero yo estaba tan relajado que ya me daba lo mismo. Empezó a frotarme el pecho. Entonces, cuando empezaba a descender hacia mi plexo solar, todo cambió de repente.

Tuve la sensación de que se me formaba una bola angustiosa en el estómago, como si mi cuerpo estuviera encerrándose en sí mismo. Una visión terrible apareció fugazmente ante mi vista y solté un fuerte grito ahogado. Me encontré sollozando de manera incontrolable. Parecía haber dos hombres distintos en mí. El primero, mi yo racional, estaba confuso y avergonzado por aquella exteriorización, en tanto que mi otro yo era un caparazón lacrimoso que yacía allí trémulo, herido y atemorizado. Esperaba que Addison se apartara de mí, pero no lo hizo. Me puso la mano en el hombro y se arrodilló frente a mí, con el rostro cerca del mío.

—No pasa nada, Nathan —me dijo con dulzura—. Estoy aquí —permaneció a mi lado varios minutos, sosteniéndome con suavidad la cabeza con una mano mientras movía lentamente la otra por mis hombros y cuello.

Cuando recuperé el control, me volví de lado y miré a Addison a los ojos:

—No sé qué ha pasado.

Ella desplazó la mano hacia el centro de mi espalda y me hizo cosquillas con dulzura.

—Hay veces en que las emociones profundas se liberan durante un masaje. No almacenamos los recuerdos y las emociones en nuestra mente, sino por todo nuestro cuerpo. Por ese motivo, en algunas ocasiones los receptores de órganos dicen experimentar los recuerdos del donante. Es lo que se llama memoria celular.

»Nuestro cuerpo entierra las emociones en nuestras células como mecanismo para protegernos de las experiencias dolorosas. No obstante, a la larga, enterrando los sentimientos sólo se consigue que éstos se hagan más fuertes, lo cual crea más dolor y enfermedad en nuestras vidas. El masaje puede ayudar a liberar esas emociones. ¿Recuerdas cuando dijiste que tu vida era un campo de minas? Tenías más razón de lo que tú creías. Pero el campo de minas es más bien tu cuerpo. Hay personas que incluso han dicho haber tenido *flashbacks*.

Me froté los ojos con el antebrazo.

—¿Qué clase de *flashbacks*?

—Visiones de cosas que ocurrieron mucho tiempo atrás. A veces son cosas que no recuerdan de manera consciente. O que han incluso reprimido.

—Es lo que me ha pasado a mí. Vi una cosa. Fue horrible.

—¿Qué viste?

—A mi hermano.

CAPÍTULO

Once

La historia más importante que llegaremos
a escribir en vida, no con tinta, sino con nuestras
decisiones cotidianas, es la nuestra.

DIARIO DE NATHAN HURST

Me puse boca abajo y oculté el rostro en el reposacabezas de la camilla.

—Será mejor que me vaya.

—Lo comprendo —dijo ella. Retiró la mano de mi cuerpo por primera vez desde que había empezado.

—Te dejaré solo para que puedas vestirte.

Salió de la habitación. Me sentí mal por haber estropeado su regalo, pero me pareció que ella entendía lo que había pasado incluso mejor que yo. Me puse la ropa rápidamente y subí al piso de arriba. Todavía estaba muy afectado por la experiencia. Addison sostenía mi abrigo y me estaba esperando en el salón. Me di cuenta de que estaba abatida y probablemente se preguntara si volvería a verme. Me acompañó al porche y me rodeó con sus brazos.

—Lo siento mucho.

—No te preocupes. Te llamaré el domingo cuando regrese.

Intuí su decepción.

—Eso espero.

—Por supuesto que sí. Te lo prometo.

Esbozó una sonrisa forzada. Antes de soltarme la mano me dijo en voz baja, casi en un susurro:

—Recuerda, no hay dolor tan grande que no pueda curarlo el amor.

La miré con curiosidad, la besé en la mejilla y me dirigí al coche. Mientras sacaba el vehículo del camino de entrada, volví la mirada hacia el porche, pero ella ya no estaba.

⊠

Empecé a escribir mi primer diario a la edad de diez años. Era una tarea que nos mandó la señorita Domgaard en quinto curso para la clase de inglés. Nos pidió, so amenaza de suspendernos, que lleváramos un registro diario de nuestros pensamientos y actividades durante treinta días. Al cabo de dieciocho años yo seguía haciéndolo. Tengo todo un estante lleno de diarios. Desde entonces me he vuelto un poco más sofisticado. Ahora llevo mi diario con tres colores de tinta distintos. Escribo sobre el día que he tenido —mi rutina y actividades cotidianas— en negro. En azul soy más filosófico y anoto mis pensamientos y sentimientos. Y en rojo anoto, de vez en cuando, mis sueños.

Aquella noche, al llegar a casa, hojeé mi diario buscando anotaciones en tinta roja hasta que encontré el sueño del páramo. Era tal como yo pensaba. Por increíble que pudiera parecer, Addison había repetido textualmente la frase de mi sueño.

CAPÍTULO

Doce

Sólo quiero pasar por la vida
sin acabar siendo un cuento con moraleja.

DIARIO DE NATHAN HURST

En Oklahoma no ocurrió nada fuera de lo corriente pero, así y todo, fue trágico. El hombre al que pillé había sido un empleado estelar de MusicWorld durante más de ocho años, lo cual es una eternidad en este negocio. Había sido Empleado del Mes en doce ocasiones. Hacía tan sólo dos meses un compañero de trabajo lo había convencido para que «experimentara» con la metanfetamina como un método rápido para perder peso. La segunda vez que lo probó se convirtió en un adicto. Siempre me ha desconcertado la excusa de «experimentar». Si uno dijera que iba a meterse en la jaula de los leones del zoológico del Bronx para «experimentar», todo el mundo pensaría que era idiota.

Darrin (así se llamaba aquel hombre, aunque yo siempre lo llamo Sam sin querer, probablemente por su bigote que me recuerda al personaje de tiras cómicas Sam Bigotes) empezó a robar inmediatamente para sufragarse el hábito. Fue una presa fácil, lo cual resulta sorprendente, puesto que una persona que llevaba ocho años trabajando para MusicWorld tendría que haber sabido cómo borrar el rastro. Imagino que, subconscientemente, quería que lo descubrieran. A veces ocurre.

Adiviné la situación a los dos minutos de sentarme con él. Llevaba las gafas de sol puestas en la poco iluminada habitación y estaba más nervioso que un caniche harto de cafeína. Tenía aspecto de llevar una semana entera sin dormir, y posiblemente fuera así.

Mi interrogatorio fue razonablemente rápido, cosa que sin duda le fue bien dado su estado, al menos hasta que el agente de policía lo esposó. Lo cierto es que yo sólo quería volver al hotel y ensimismarme con un libro o frente al televisor. No podía quitarme de la cabeza a Addison y la experiencia de la noche anterior. Esperaba no haber causado un daño irreparable en nuestra tierna relación.

El vestíbulo del hotel estaba adornado para celebrar la Navidad y en él tenía lugar una espléndida fiesta navideña de empresa con gente guapa ataviada con esmoquin y trajes de fiesta. Me sentí como un fantasma vagando entre ellos, pasando inadvertido sin que me vieran. Invisible. Supongo que no me había dado cuenta de lo solo que me había sentido hasta que tuve a alguien que llenara ese vacío. Deseaba con todas mis fuerzas que Addison estuviera allí conmigo.

Pedí un aperitivo al servicio de habitaciones y me comí unas alitas Búfalo con tallos de apio y aderezo mientras miraba un programa especial en el Canal Biográfico sobre Vincent Furnier, también conocido como Alice Cooper. Cuando ya no pude soportar más mi soledad, eran las once menos cuarto, una hora menos en Utah, y llamé a Addison. Su voz sonó un poco ronca, como si hubiera estado dormida.

—Diga.

—¿Estás despierta?

A ella le hizo gracia la pregunta.

—Sí.

—Lo siento. ¿Cómo te ha ido el día?

—Bien. ¿Y a ti?

—También. Estaba pensando en ti.

—Eso es bueno. ¿Qué estabas pensando?

—Pensaba que cuando vuelva me gustaría pedirte una cita. Una cita de verdad. Llevarte a cenar y al cine.

Ella suspiró complacida, aunque también podría haber sido un suspiro de alivio.

—No sabes cuánto tiempo ha pasado desde la última vez que alguien me hizo una oferta así.

—Pues ya te toca. ¿Puedes conseguir una canguro?

—Sí. Me alegro mucho de que hayas llamado. Temía haberte perdido.

—No me perderás tan fácilmente.

—¿Cuándo vuelves?

—Mañana por la tarde. ¿Te paso a buscar a eso de las seis?

—Estaré lista. Buenas noches.

Me tumbé en la cama, satisfecho conmigo mismo. Volvía a sentirme bien.

⊠

Mi avión aterrizó a las tres, conduje hasta el gimnasio para hacer una sesión rápida de ejercicios y luego me preparé para nuestra cita. Recogí a Addison a las seis. No vi a la niñera, puesto que estaba jugando a la Nintendo con Collin y Elizabeth. Addison me sacó por la puerta casi a empujones mientras los niños estaban distraídos.

—Hazme caso —me dijo—. Es mejor así.

La llevé a cenar a un restaurante pequeño y acogedor llamado Los Cinco Todos. La decoración era un tanto parecida al de una vieja taberna inglesa, con vigas y columnas tiznadas, paredes de estuco y herrajes decorativos. Había velas en las mesas y música clásica de fondo. La mesa estaba puesta con copas y platos de porcelana.

—No voy lo bastante bien vestida —comentó Addison—. Deberías haberme dicho que íbamos a un lugar elegante.

—No es necesario ir bien vestido para venir aquí. Mira a este tipo de ahí. Lleva vaqueros.

Lo vio, pero no sirvió de mucho, supongo que porque se trataba de un hombre. Por suerte vino la camarera y anotó lo que queríamos, y Addison pareció olvidarse de que no llevaba el atuendo apropiado. Ella pidió el pollo Kiev. Yo pedí el filete Oscar.

—No tienes que pedir lo más barato del menú —le dije.

—¿Era lo más barato? —me preguntó—. ¿Sabes una cosa? He pasado un millón de veces en coche por delante de este sitio y no sabía que estaba aquí. Es muy pintoresco.

—Es el secreto mejor guardado de Salt Lake. Lleva aquí unos cuarenta años, pero no lo descubres si alguien no te habla de él.

—¿Cómo lo descubriste tú?

—Durante mi primer año de estancia en Utah salí con una chica que todavía iba al instituto. Vinimos aquí con un grupo de amigos suyos.

—¿Por qué se llama Los Cinco Todos?

—Es un antiguo dicho inglés. —Señalé la pared de enfrente—. ¿Ves esas ventanas de vidrio coloreado? La primera es el soldado. Dice: «Lucho por todo». La segunda es el predicador. Dice: «Rezo por todo». La tercera es el abogado. Dice: «Abogo por todo». La cuarta es el rey. Dice: «Lo gobierno todo». La ventana grande de allí es el contribuyente. Dice: «Pago por todo».

Ella sonrió.

—Está bien.

La cena consistió en una comida de cinco platos que empezó con unos entrantes hechos de masa fermentada para untar en salsa de almejas y nata agria y concluyó con un postre helado de crema de menta.

Después fuimos al cine. Durante los avances de películas Addison apagó su teléfono móvil de un modo casi ceremonial. Se inclinó hacia mí mientras se lo guardaba en el bolso.

—No sabes lo bien que sienta hacer esto. Una madre necesita cortar el cordón umbilical de vez en cuando.

—Si yo desapareciera, nadie se daría cuenta —le dije—. Excepto mi jefe. Y tardaría unos cuantos días.

—Yo sí me daría cuenta.

Le pasé el brazo por los hombros. La película era una comedia romántica; no era lo que yo solía ir a ver, pero resultó bastante divertida e hizo reír a Addison, lo cual, bien visto, fue más divertido que la propia película. Tenía una risa única, una especie de rápida carcajada reprimida, como cuando algo te resulta gracioso en la iglesia o en un funeral e intentas evitar reírte.

Salimos del cine cogidos de la mano. A mitad de camino hacia el coche se echó a reír otra vez.

—¿Todavía estás pensando en la película?

—No. Estaba pensando en lo contenta que estoy.

Le abrí la portezuela del vehículo. En cuanto entré y lo puse en marcha, me dijo:

—Gracias. No tienes ni idea del tiempo que hace desde la última vez que me hicieron sentir tan feliz. O tan hermosa.

—¿Qué dices? Siempre que estoy contigo los hombres te repasan con la mirada.

—No, no es verdad.

—¿No viste cómo te miraba ese tipo en el vestíbulo del restaurante? Me sorprendió que su esposa no le diera un bofetón.

—Podría decirse que sí me fijé —se rió—. Haces que me sienta como una princesa.

—Eso es porque eres la mujer más asombrosa que he conocido nunca.

Ella pareció casi sorprendida y miró hacia otro lado tímidamente.

—Gracias —bajó un poco la voz—. Necesito pedirte disculpas de nuevo por lo de la otra noche. Me dijiste que no te gustaban los masajes, pero yo lo hice de todos modos y tú te sentiste obligado.

—No tienes que seguir disculpándote. Ninguno de nosotros sabía que pasaría eso. Y me estaba gustando mucho hasta... —no hizo falta que terminara.

Addison guardó silencio unos momentos. Después rebuscó en el bolso para sacar el teléfono móvil.

—¿Alguna apuesta sobre cuántas veces ha llamado Elizabeth? —conectó el teléfono. Su expresión cambió enseguida—. ¡Oh, no!

—¿Qué pasa?

Apretó un botón.

—Laurie ha estado llamando. —Se volvió—. Hola.

Oí una voz que hablaba rápidamente al otro extremo de la línea. Addison mudó completamente de actitud.

—¿En cuál? Enseguida estoy allí. —Se volvió nuevamente hacia mí con el rostro pálido—. ¿Sabes dónde está el Hospital Cottonwood?

Me dirigí al hospital a toda velocidad. Dejé a Addison en la entrada de urgencias y fui a aparcar el coche. Cuando entré por las puertas del hospital, ella ya no estaba.

CAPÍTULO

Trece

La vida puede cambiar en un abrir y cerrar de ojos,
aunque yo no daría ni un céntimo por la mayoría
de cambios que he experimentado.

DIARIO DE NATHAN HURST

A eso de medianoche, una mujer pelirroja y corpulenta salió por las puertas de vaivén de la sala de urgencias. Recorrió la zona de admisión con la mirada y sus ojos se posaron en mí.

—¿Nathan?

—¿Sí?

—Soy Laurie, la niñera de Addison.

—¿Cómo está Collin?

—Ahora está mejor. Addison quería que te dijera que saldrá dentro de poco. Pero que si tienes que irte lo entiende. Ella va a pasar la noche aquí.

—¿Qué ocurrió?

—Collin tuvo una reacción alérgica a algún medicamento. Tuvo un ataque.

—¿Fue muy grave?

—Sí. Los de la ambulancia tuvieron que resucitarlo. Faltó poco. Muy poco —meneó la cabeza—. Yo tengo que irme. Mañana por la mañana trabajo.

Esperé en el vestíbulo de la sala de urgencias casi una hora más hasta que salió Addison. Tenía un aspecto muy distinto al de la mujer que había estado riendo y flirteando conmigo aquella misma noche.

—¿Cómo está?

—Estable.

—¿Qué ocurrió?

—Esta mañana empezó a tomar una medicación nueva. Ya la había tomado, pero nunca en forma de píldora. Le provocó un choque anafiláctico. —Se le llenaron los ojos de lágrimas, pero mantuvo la mirada firme—. Estuvo a punto de morir. Estuvo a punto de morir y yo no estaba. No debería haberlo dejado solo esta noche.

—No puedes estar con él siempre.

—Sí, sí puedo. —Meneó la cabeza, consumida por la culpabilidad—. Lo siento, Nathan, pero no debería estar haciendo esto ahora mismo. No cuando él me necesita.

—¿No deberías estar haciendo qué?

Me miró a los ojos y no me gustó su expresión.

—Tú has sido muy bueno conmigo y con mis hijos. Pero ahora mismo no es el mejor momento para empezar algo.

No daba crédito a lo que oía. Sentí el peso del abandono en el pecho..., algo a lo que se diría que ya debía de haberme acostumbrado a esas alturas.

—Addison, acabas de sufrir un gran sobresalto, pero no hay nada malo en tener un amigo en el que apoyarse. Puedo ayudarte.

Ella se enjugó las lágrimas, pero mantuvo una pequeña distancia entre los dos.

—No quiero hacerte daño. Lo entiendes, ¿verdad?

—Yo no te pido nada... Deja que te ayude.

Volvió a llorar. Al cabo de unos minutos, dijo:

—Debería volver. Lo siento, Nathan.

Me besó, se dio la vuelta y se dirigió de nuevo a las puertas de vaivén. Yo me quedé allí, atónito. Habíamos pasado de cien a cero en treinta segundos. Ella acababa de poner fin a lo mejor de mi vida. Es probable que me quedara allí un minuto más antes de ir a buscar el coche. No sé por qué me sorprendió. Era lo que me esperaba. Otro cartón de leche.

⊠

Elizabeth estaba acostada sobre el fino colchón de una cama con barandas al lado de Collin, con la cabeza apoyada en una almohada. Cuando el niño abrió los ojos, la vio allí, mirándole.

—Hola —dijo él.

—Mamá dice que tenemos que quedarnos a dormir aquí.

Se levantó para acercarse a la cama de su hermano, sujetándose a las barras laterales de aluminio por entre las que casi le encajaba el rostro. Collin pensó que parecía una prisionera en una cárcel del Viejo Oeste. Se dio cuenta de que había estado llorando. No soportaba que las chicas lloraran.

—¿Qué pasa?

—Dijeron que estuviste a punto de morir.

—Ah, es eso —por un momento no dijo nada. Elizabeth subió a su cama y se echó a su lado.

—¿Te vas a morir?

—Todo el mundo muere algún día.

—No. Mamá no se muere.

Collin miró el rostro asustado de su hermana.

—Bueno, todo el mundo menos mamá.

La niña se secó las lágrimas.

—¿Yo también voy a tener cáncer? No quiero morir.

—No. Tú no lo tendrás.

—Pero ¿y si lo cojo como tú?

—El cáncer no es contagioso.

—¿Qué quiere decir *con-taguioso*?

—Significa que te lo pega otra persona.

—¿Como cuando tocas una rana y te salen verrugas?

—Sí, algo parecido.

—Ah —dijo ella. Se rascó el codo—. Pero ¿y si lo cojo de todas formas?

—Entonces te tocaré y te pondrás mejor.

Esto la convenció y se acercó más a su hermano. De pronto se le ocurrió una idea que le iluminó el rostro. Se echó hacia delante apoyada en los codos.

—¡Ya sé! ¿Por qué no te tocas a ti mismo? ¡Así te pondrás mejor!

Collin frunció el ceño.

—No funciona así.

—¿Cómo es eso?

—No lo sé. No va así, y ya está.

La niña se recostó de nuevo y la tristeza volvió a embargarla.

Collin la estrechó contra él y le dio un beso en la frente.

—No te preocupes. ¿Sabes?, cuando las personas se mueren, no es para siempre. Se van durante un tiempo, pero luego vuelven a estar juntos. Es como cuando mamá y papá se fueron a México. Volvieron.

—Papá no.

—Bueno, eso es distinto.

La niña pensó en ello.

—¿Estás seguro de que la gente vuelve?

—He visto al abuelo.

—¿Has visto al abuelo?

—Esta noche.

—¿Por qué yo no lo vi?

—Porque no sabes cómo hacerlo.

—¿Qué te dijo?

Collin se la quedó mirando unos instantes mientras se frotaba la cabeza. Respondió:

—Dile a Lizzy que no llore tanto.

Ella se pegó más al niño.

—Me alegro de que seas mi hermano.

Él la abrazó.

—Yo también.

CAPÍTULO

Catorce

Esta mañana me ha costado mucho levantarme de la cama.
Creo que tengo resaca emocional.

DIARIO DE NATHAN HURST

Supongo que le mentí a Addison cuando le dije que no le pedía nada. Pues claro que sí. La quería a ella. Hasta que no me apartó de su lado no me di cuenta de cuan profundamente enamorado estaba.

Al día siguiente me quedé en la cama hasta tarde. Estaba a punto de llamar al trabajo para decir que estaba enfermo cuando fue Miche la que me llamó para recordarme que había quedado con ella para comer. Me había olvidado de nuestro aniversario.

Hacía exactamente tres años que ella había entrado a trabajar como mi ayudante. En aquel entonces hacía tan sólo dos semanas que se había casado con un contable llamado Dane, una combinación que yo nunca habría creído posible. Dane era un hombre adusto y sin sentido del humor que se ponía camisas planchadas y almidonadas, pajaritas al estilo George Will y calcetines Gold Toe para meterse en la cama. (Según me contaron.) Miche era el yang de la relación: un espíritu libre. Una fiesta siempre esperando a celebrarse.

También era la ayudante perfecta para mí. Estaba llena de contradicciones: trabajadora pero juguetona, sarcástica y burlona pero seria, infantil pero maternal. Era despiadadamente sincera, como si ni se le hubiera pasado por la cabeza ser de otra forma. Y, lo que es más importante, se preocupaba por mí de verdad. Nunca había tenido este tipo de relación con una mujer y me resultaba sumamente satisfactoria. Hablaba en serio cuando decía que me guardaba las espaldas. Conseguir la habitación de hotel en Denver fue una de las mil acciones que demostraban que realmente lo hacía.

Sé que probablemente resulte patético que tu relación más estrecha en el mundo la tengas con tu secretaria pero, como ya dije, cada uno consigue amor donde puede. Mi mayor temor era que algún día Miche dejara el trabajo para formar una familia, algo que a veces comentaba con indiferencia. Yo sufría mucho cada vez que sacaba el tema.

Los últimos tres años habíamos celebrado nuestro aniversario en el mismo lugar: el Golden Phoenix, un pequeño restaurante chino de la calle State, cerca de la Once sur donde hacían los mejores *potstikers* de este lado del Pacífico. Miche se había tomado la mañana libre para ir al médico y nos encontramos en el restaurante. Después de pedir mis consabidos camarones *kung pao*, la camarera tomó nota de nuestros menús y nos dejó solos.

—Tres años —dije—. Me cuesta creer que no te haya ahuyentado.

—Eres un gatito. Sólo finges dar miedo.

—O sea que me tienes calado.

—Te calé el mismo día que te conocí. —A pesar de sus bromas pícaras, me di cuenta de que estaba preocupada por algo. No pregunté. La conocía lo suficiente como para saber que, al final, lo que fuera saldría borboteando a la superficie.

—Así pues, has cambiado de opinión sobre lo de ir a Phoenix —dijo.

—Sí, estoy pensando que el pez de la tienda 248 podría dirigirse a mar abierto antes de Navidad. Además, tengo que salir de esta inversión térmica. Uno no debería respirar un aire que puede ver.

—Quizás Addison quiera ir contigo —comentó esperanzada.

—Nunca dejaría a sus hijos.

—Al menos podrías preguntárselo. No deberías limitarte a suponer…

No la dejé terminar.

—Ya no volveremos a vernos.

—¿Cómo dices?

—Sí. Anoche pusimos fin a la relación.

—Lo siento mucho, jefe —dijo, y guardó silencio un momento—. Ya sabes que casi nunca me inmiscuyo en tu vida personal…

—Tú eres mi única vida personal.

—Lo que tú digas —terció rápidamente—. La cuestión es que creo que estás cometiendo un gran error.

—No fue idea mía terminar con ella.

—Ah. ¿Qué ocurrió?

—Anoche tuvieron que llevar a su hijo al hospital urgentemente: estuvo a punto de morir. Tiene leucemia y, para colmo, una afección cardíaca. Ella tiene la sensación de que ahora mismo tiene que estar por él.

—¿Y quién estará por ella?

—Es lo que yo le pregunté.

La camarera regresó con una fuente de *potstickers*. Miche mezcló aceite de pimiento picante con mi salsa de soja y empujó el platito para acercármelo. Siempre se ocupa de mí. Cogí una de las pequeñas empanadillas con los palillos.

—Quizá tendría que hacer que hablaras con ella.

—No tienes más que decirlo.

Mojé el *potsticker* en la salsa.

—Dime, ¿para qué has ido a ver al médico?

—Cosas de chicas, nada más.

Vi el dolor en su mirada.

—¿Qué te ocurre?

—No es nada.

—Vamos, Miche.

Su expresión apenada se intensificó.

—Ya sabes que no dejo de amenazar con tener un bebé. Dane y yo llevamos más de un año intentándolo.

Eso fue una bomba, pero yo no reaccioné, pues estaba claro que la historia no terminaba ahí. De pronto se le humedecieron los ojos y me di cuenta de lo mucho que le costaba hablar de ello conmigo. Se enjugó las lágrimas rápidamente.

—El médico dice que quizá nunca pueda tener hijos.

No conocía a nadie que tuviera más ganas de ser madre que Miche. Le tomé la mano.

—Lo siento.

Ella no dijo nada, siguió mirando hacia otro lado, luchando por contener sus emociones.

—¿No se puede hacer nada?

Miche meneó la cabeza.

—Es complicado. Pero, aun cuando milagrosamente me quedara embarazada, lo más probable es que perdiera el bebé.

—Lo siento —repetí.

La camarera regresó con la comida y dejó las fuentes en la mesa.

—¿Alguna otra cosa?

—No. Gracias. Tráigame la cuenta cuando pueda.

—De acuerdo.

—No iba a decir nada —dijo Miche cuando la camarera se fue—. Ahora he estropeado la comida.

—Me alegro de que me lo hayas contado.

—Todavía te tengo a ti… que de alguna manera eres como mi hijo.

Le sonreí.

—Y lamento lo de Addison. No sabe lo que se pierde, la verdad.

—Gracias —suspiré—. Así son las cosas.

Al cabo de un momento Miche también suspiró.

—Así son las cosas.

No podía dejar de pensar en Addison. Aunque tenía muchas ganas de llamarla, no lo hice. Tenía la esperanza de que no tardaría en cambiar de opinión. Mientras tanto, me alegré de estar en Phoenix. El tiempo allí era cálido y despejado, suponía un cambio del clima frío y gris de Utah que era de agradecer.

MusicWorld tenía dos establecimientos en la zona de Phoenix: en Mesa y en Tempe. Hice arrestar a un empleado de Tempe. Era un estudiante de periodismo miembro del Sindicato de Estudiantes y de la redacción del periódico universitario. No dejaba de repetir:

—Es que mañana tengo que entregar un artículo.

—Sí, pero piensa en la historia que tendrás que escribir —le dije yo.

CAPÍTULO

Quince

Parece que los acontecimientos más importantes
de nuestras vidas ocurren cuando
estamos preocupados por otros sucesos.

DIARIO DE NATHAN HURST

Las mañanas eran siempre una batalla. Addison puso una carga de ropa blanca en la lavadora y luego fue a la cocina a ver qué hacía Elizabeth. Tal como se imaginaba, el cuenco de Cheerios estaba abandonado en la mesa de la cocina.

—Lizzy, vuelve aquí y termínate los cereales antes de que se reblandezcan. Dentro de diez minutos tenemos que irnos para coger el autobús.

La voz de Elizabeth le llegó desde el salón.

—*Goldie* ha salido fuera.

—¿Y cómo ha salido? —refunfuñó Addison.

—Alguien se dejó la puerta abierta.

Addison puso los ojos en blanco. «¿Alguien?»

—Ve a buscarla, por favor. Y date prisa. Al final vamos a llegar tarde.

—Ahora voy, mamá —Elizabeth abrió la puerta principal y salió al porche. Hizo bocina con las manos para gritar y su aliento formó una nubecilla en la gélida atmósfera.

—Vamos, *Goldie*. Vuelve a casa. Vamos, chica.

Collin entró en la cocina.

—Hola, mamá.

—Buenos días, cariño. ¿Qué tal te encuentras?

—Bien.

—Te pondré tus Cheerios. ¿Quieres ir a ver qué hace tu hermana? Ha salido a buscar a *Goldie*.

—Vale.

Collin salió al porche y allí estaba Elizabeth.

—¿Dónde está *Goldie*?

—No viene. Está jugando en casa de Marcia.

—Ven, *Goldie* —gritó Collin—. Vamos, chica.

Un bullón de pelo color miel apareció al otro lado de la calle, saltando por entre los quince centímetros de nieve, desapareciendo prácticamente entre salto y salto.

Elizabeth empezó a gritar.

—Vamos, *Goldie*. —Bajó del porche y se dirigió hacia la calle—. Vamos, chica. Es hora de ir al colegio. Mamá va a enfadarse.

La cabeza del perro se alzó por encima de la nieve que había blanqueado su hocico. Al ver a Elizabeth, el animal salió disparado a la calle para ir con la niña.

Se oyó un fuerte frenazo y el sonido de unos neumáticos patinando por la calzada y el hielo.

Un Mercedes dorado se deslizó de lado, como si hubiera dado un viraje para esquivar al perro. Al principio dio la impresión de que *Goldie* corría con el coche, pero de repente éste la atropelló.

Elizabeth soltó un chillido y echó a correr hacia el perro.

—No cruces la calle corriendo —le gritó Collin.

El cuerpo de *Goldie* se sacudió de manera irregular. Elizabeth se agachó junto a él y lo cogió en brazos.

—¡*Goldie*!

El perro no se movía.

—*Goldie* —gimió Elizabeth—. *Goldie*.

Collin fue corriendo al lado de Elizabeth y los dos niños se apiñaron en torno al animal inerte.

—¡Está muerta! —gritó Elizabeth.

Una mujer salió del Mercedes por el lado del conductor, se acercó a los niños y se detuvo a unos pocos metros de distancia.

Elizabeth la miró.

—Ha matado a *Goldie*.

—Lo siento —repuso la mujer—. Cruzó corriendo la calle... No pude parar.

Addison había salido a toda prisa al oír el frenazo. Se quedó paralizada en el porche mientras asimilaba la escena: un coche cruzado en un talud de nieve, sus hijos juntos en medio de la calzada. Entonces vio el pequeño montón de pelo en brazos de Elizabeth y lo entendió. «No —pensó—. ¿Qué más tiene que perder?»

Elizabeth se volvió hacia su hermano.

—Tócala, Collin. Tú puedes hacer que se ponga bien.

—Mamá dijo...

La niña miró a su hermano con el rostro surcado de lágrimas.

—Por favor, Collin. Por favor, ayúdala.

—De acuerdo —El niño se inclinó, colocó la mano en la coronilla del animal y cerró los ojos. La mujer los observó con curiosidad. Addison caminó hasta el borde de la calle y se detuvo de pronto cuando cayó en la cuenta de lo que estaba ocurriendo.

—Collin...

De repente el perro sacudió la pata trasera. Entonces se puso de pie en brazos de Elizabeth y empezó a lamerle la cara.

—¡*Goldie!* —chilló la niña alegremente—. Vuelves a estar viva. —La estrechó contra sí—. Te quiero, *Goldie*. No vuelvas a hacerlo nunca más. —Se volvió a mirar a su hermano—. Gracias, Collin.

La mujer se quedó mirando fijamente a Collin.

—¿Qué has hecho?

Él la miró con expresión preocupada y no respondió.

—Mi hermano puede hacer que las cosas mejoren —dijo Elizabeth.

—¡Elizabeth! —gritó Addison.

La niña corrió de vuelta a casa con el perro en brazos. La mujer se volvió hacia Addison con unos ojos como platos, asombrada.

—¿Ha visto eso?

Addison no la miró a los ojos.

—Gracias a Dios que no atropelló al perro. —Le pasó el brazo por los hombros a su hijo—. Vamos, Collin. Lizzy ha perdido el autobús y tendré que llevarla al colegio en coche.

CAPÍTULO

Dieciséis

El arrepentimiento es el más pesado de los compañeros.

DIARIO DE NATHAN HURST

Addison acababa de sentar a los niños a cenar cuando sonó el timbre de la puerta. Se levantó y fue a ver quién era. De pie en el porche había una mujer muy bien vestida que llevaba un abrigo de ante azul. Addison tuvo la sensación de que la conocía de algo, pero no recordaba dónde la había visto.

—¿En qué puedo ayudarla? —le preguntó.

La mujer pareció nerviosa de repente, como si acabara de salir a escena y hubiera olvidado su texto.

—Yo… —hizo una pausa y volvió a empezar—. Me llamo Monica Pyranovich. Conducía el coche que atropelló a su perro esta mañana. Sé que la experiencia ha tenido que ser un poco traumática para su hija, de modo que le he traído un pequeño obsequio. —Entregó a Addison un paquete del tamaño de una caja de zapatos adornado con flores de seda—. Es un juego de té.

Addison tomó el regalo.

—Gracias. Pero no era necesario. Por suerte no atropelló a *Goldie* y todo el mundo está bien. De todos modos, es muy amable por su parte.

La mujer se movió ligeramente, cambiando el peso de su cuerpo de un pie a otro.

—Quería hablarle de ello. De lo que hizo su hijo…

Addison la miró con expresión inocente.

—¿Mi hijo?

—Su hijo curó a ese perro.

Addison hizo todo lo posible por aparentar incredulidad.

—¿Cómo dice?

—Vi cómo su hijo curaba al perro.

—¿Cree que mi hijo lo trajo de vuelta de entre los muertos?

—No sé lo que hizo, ni cómo lo hizo, pero sé que el perro estaba muerto. Lo vi. ¿Por qué su hija le rogó a su hijo que tocara al perro? Le suplicó que tocara al perro y lo curara.

—Ya sabe la imaginación que tienen los niños.

—Ella dijo que su hijo podía hacer que las cosas mejoraran.

Addison retrocedió un paso alejándose de la mujer.

—Gracias por el regalo. Le ruego que se marche, de verdad. Acabamos de sentarnos a cenar. —Empezó a cerrar la puerta.

La mujer extendió la mano para detenerla.

—Por favor. Sé que me estoy comportando como una loca, pero mi hijo se está muriendo… Tiene un tumor cerebral. No le queda mucho tiempo.

Addison vaciló.

—Márchese, por favor.

A la mujer se le llenaron los ojos de lágrimas.

—¿No quiere ayudarme?

—Ojalá pudiéramos hacer algo.

—¿Sabe lo que es ver cómo tu único hijo desaparece un poco más cada día?

Aquella pregunta la hirió.

—Sí, lo sé.

—¿Usted no haría todo lo posible para salvarlo?

—Es lo que estoy haciendo.

Monica se metió la mano en el bolso.

—Le pagaré cuanto me pida. Mi esposo es médico. Tenemos dinero. Le daré lo que quiera. Cancelaremos la hipoteca de su casa…

—No quiero su dinero.

—Por favor. Lo hemos intentado todo. —Empezó a llorar. Le tendió el billetero a Addison, insistiendo para que lo cogiera—. Tómelo. Por favor. Si quiere se lo suplicaré. Me arrodillaré y suplicaré. —Empezó a arrodillarse—. Es mi único hijo.

Addison tomó a la mujer del brazo y la detuvo.

—No haga eso, por favor.

La otra madre tenía una mirada desesperada; Addison sabía perfectamente cómo se sentía.

—Por favor, si su hijo puede curar, tenga piedad de nosotros.

Durante lo que parecieron varios minutos, Addison se limitó a mirarla. El dolor y el miedo de la mujer le resultaban muy familiares, se parecían demasiado a los suyos. Finalmente, le preguntó:

—¿Dónde vive?

—Vivimos en el East Bench, cerca de 6200 South. Le daré mi tarjeta.

—No le prometo nada. Depende de Collin. No voy a obligarle a que lo haga.

La mujer le tomó la mano a Addison y se la llevó a la mejilla.

—Que dios la bendiga. Gracias. Muchas gracias.

—No me lo agradezca todavía. Depende de mi hijo.

—Por supuesto.

—Y en caso de que decida ayudarla, tiene que prometer que no se lo dirá a nadie. ¿Lo entiende?

—¿Ni a mi esposo?

—Ni siquiera a su esposo.

—Le doy mi palabra. No lo sabrá nadie —rebuscó en el bolso hasta que encontró una tarjeta y se la entregó a Addison—. Espero volver a verla.

—No le prometo nada.

—Que Dios la bendiga.

Addison cerró la puerta. «¿Qué he hecho?», pensó. Cuando recuperó la compostura, volvió a la cocina. Collin estaba sentado a la mesa solo, comiéndose un pedazo de pan con mantequilla y miel mientras leía la etiqueta del tarro de miel con forma de oso.

—¿Dónde está Lizzy?

—Está mirando la tele. Dijo que ya había terminado de comer.

Addison dejó el obsequio en la mesa y se sentó.

—¿Qué es esto, mamá?

—Es un regalo para Elizabeth, de parte de la señora que atropelló a *Goldie* esta mañana. —Addison levantó la cuchara, volvió a dejarla y miró a Collin—. Su hijo tiene cáncer.

—Como yo.

—Es de otro tipo, pero sí, como tú. —Lo miró con aire pensativo—. Te vio curar a *Goldie*.

Collin frunció el ceño.

—Lo siento.

—No, cariño. Nunca te disculpes por eso. A mí sólo me preocupas tú. Esa mujer quiere que cures a su hijo. —Vaciló—. ¿Quieres hacerlo?

—Dijiste que no debía.

—Ya lo sé. Pero ¿tú quieres hacerlo?

Collin meditó un momento y respondió:

—Si se tratara de mí, esperaría que alguien me curara.

Addison se tapó los ojos para ocultar las lágrimas.

—Lo siento, mamá. ¿He dicho lo que no debía?

—No, cariño, no lo has hecho —alargó el brazo y puso la mano sobre la de su hijo.

—¿Dónde está ese niño?

—En su casa.

—¿Y vamos a ir allí esta noche?

—Si tú quieres.

—De acuerdo.

Cuando terminó de fregar los platos, Addison les dijo a los niños que se pusieran los abrigos y se metieran en el coche. Lizzy ya estaba jugando con su juego de té nuevo y quiso saber adónde iban.

—Vamos a llevar a Collin a que conozca a un niño.

—¿Qué niño?

—Un niño como él.

—¿Quieres decir que también puede hacer sentir mejor a la gente?

—No, cariño. Sólo que está enfermo.

⊠

El domicilio de los Pyranovich se encontraba en una rica urbanización vallada situada a un kilómetro y medio de las estribaciones de las montañas Wasatch en dirección oeste, apenas a veinte minutos de casa de Addison. Ella se odiaba a sí misma por conducir a su hijo hacia algo que le podía hacer daño y aún se odió más, kilómetro a kilómetro, por no dar la vuelta y volver a casa. Deseaba que Collin hubiera dicho que no, pero deseaba aún más no haberle dado la oportunidad de decidir. Se detuvo frente a la elaborada verja de hierro forjado y pulsó el botón del interfono. Respondió una voz seca de mujer.

—¿Quién es?

—Soy Addison Park.

La voz se suavizó.

—Abriré la verja. Estamos en la tercera casa de la izquierda.

Se oyó un clic y un zumbido y las puertas empezaron a abrirse hacia dentro. Addison entró con el coche y lo aparcó delante de una vivienda grande. Unas lámparas de gas iluminaban con luz parpadeante la fachada de la casa. Addison puso el freno de mano y sacó las llaves del coche.

—Vosotros esperad aquí un momento, niños. Voy a comprobar que sea ésta la casa.

Un sendero de piedra la llevó hasta una tremenda puerta de vidrio y metal bajo un gran pórtico. Monica fue a recibir a Addison a la entrada.

—Muchas gracias por venir. —Miró a su alrededor con preocupación al ver que Addison estaba sola—. ¿Ha venido con él?

—Sólo quería asegurarme de que no hubiera nadie más.

—Sólo estamos Tyler y yo. Mi esposo está en el hospital. Le prometo que no se enterará nadie.

Al oír estas palabras, Addison se dio cuenta de lo absurda que era su petición. ¿Cómo no iba a enterarse nadie? Su esposo, los vecinos, amigos, el oncólogo… ¿cómo no iban a reparar todos ellos en la milagrosa recuperación de Tyler? Desechó este pensamiento. Ahora ya no se podía hacer nada. Además, le daba igual que se enteraran de lo ocurrido siempre y cuando no supieran quién había sido el artífice.

Addison regresó al coche. Collin la siguió con la mirada desde el asiento de atrás. Ella abrió la puerta.

—¿Estás seguro de que quieres seguir adelante?

—Sí.

—¿Seguro de qué, mamá? —preguntó Elizabeth.

—De nada que te interese. Vamos dentro.

Los niños salieron del coche. Addison tomó a su hija de la mano y caminaron hasta la puerta principal.

—Esta casa es muy grande, mamá —dijo Elizabeth—. ¿Aquí es donde vive el presidente?

—No, cariño. El presidente no vive en Utah.

La mujer miró a Collin mientras el niño se acercaba por el sendero. A él le incomodó su mirada.

—Pasad —dijo Monica, que les indicó que entraran con un movimiento de la mano—. Estáis en vuestra casa.

—¿Deberíamos quitarnos los zapatos? —preguntó Addison.

—No es necesario.

Después de sacudirse la nieve de los pies entraron al magnífico vestíbulo. Era una habitación oval con suelo de mármol. Una escalera de caracol comunicaba con el piso de arriba. Del techo colgaba una gran araña de cristal.

—Debe de tener una familia muy grande —le dijo Elizabeth a la mujer.

—¿Por qué lo dices, cariño?

—Porque en su casa podrían caber un millón de personas.

La mujer sonrió.

—Recuerda lo que ibas a decir —le apuntó Addison.

Elizabeth miró a su madre sin comprender y de pronto se acordó.

—Ah, sí. —Se volvió a mirar a Monica—. Gracias por el juego de té.

—De nada, cariño.

Monica cerró la puerta y echó la llave.

—Tyler está aquí mismo, al fondo del pasillo. Convertimos la biblioteca en su dormitorio cuando ya no pudo subir escaleras.

—¿Sabe que íbamos a venir? —preguntó Addison.

—No. No se lo dije. Por si acaso decidían no hacerlo.

—¿Puede mi hija esperar en algún sitio?

—Claro. Puede ver la televisión en la sala. —Miró a Elizabeth—. ¿Te gustaría ver la televisión?

—Sí, señora.

—Venid por aquí, por favor. —Condujo a Elizabeth y a Addison a una habitación de techo alto en la que había un televisor de plasma de pantalla plana sujeto a la pared encima de la repisa de la chimenea. En un extremo del sofá había un shih tzu blanco y negro hecho un ovillo.

—Tiene un perro —dijo Elizabeth, que se quedó a cierta distancia del animal.

—Éste es *Max*. Puedes hacerle mimos. Es muy simpático.

Elizabeth se sentó al lado del perrito y empezó a acariciarlo. El animal levantó la mirada y la olisqueó.

—Probablemente huela a tu perro —comentó Monica.

—A nuestra perra lo atropelló un coche —dijo Elizabeth.

Monica miró a Addison.

—Sí, ya lo sé. ¿Te gustaría ver dibujos animados?

—Sí, señora.

Monica encendió el televisor con el mando a distancia y empezó a pasar canales hasta que Elizabeth gritó:

—¡Bob Esponja!

—Ya está... Bob Esponja. ¿Te apetece un poco de helado?

—Sí, por favor.

—¿Con jarabe de chocolate?

—Sí, por favor. ¿Puede Collin tomar un poco también?

—Por supuesto que sí. Puede tomar lo que quiera.

—Me gusta este sitio —le dijo Elizabeth a su madre.

Monica abrió la nevera.

—Hay helado de galleta con trocitos de chocolate y de dulce de leche con almendras tostadas.

—¡De galleta! El helado de galleta es el preferido de Collin y también el mío.

La mujer puso unas cucharadas de helado en un cuenco, lo cubrió generosamente con crema de chocolate y se lo llevó a Elizabeth.

—¿Estarás bien si te dejamos sola unos minutos? —le preguntó Addison.

—Ajá.

—No derrames nada. Y no le des helado al perro. Volveremos enseguida.

Addison volvió con la mujer al vestíbulo, donde aguardaba Collin con las manos hundidas en los bolsillos. Estaba mirando la araña del techo.

—Bueno, ¿estamos listos? —preguntó Monica.

—Sí, señora.

—Mi hijo está allí. —Los condujo al final de un largo pasillo revestido con paneles de madera de los que colgaban unas pinturas al óleo. La mujer abrió la puerta despacio y entró—. Hola, Ty. Soy mamá.

Addison tenía las manos en los hombros de Collin y ambos entraron detrás de Monica. La habitación estaba oscura, iluminada tan sólo por una lámpara de sobremesa, y las paredes estaban cubiertas de hileras de tomos encuadernados en cuero. En el centro de la habitación había una cama de hospital y junto a ella una mesa redonda llena de frascos de medicinas. El hijo de Monica era adolescente, tendría unos dieciocho años o más, aunque los marcados efectos del cáncer hacían que resultara difícil precisar su edad. Estaba calvo, tenía la cabeza hinchada a causa de los esteroides y una cicatriz que le iba de oreja a oreja. Su respiración era superficial y trabajosa. Monica se acercó a su hijo y le dio un beso en la frente.

—Alguien ha venido a verte, Ty.

Collin pasó junto a Addison y se acercó a la cama. Monica retrocedió. Los chicos se miraron. Tyler tenía la cabeza hundida en la almohada y sólo consiguió volverse ligeramente.

—Hola —dijo con voz débil.

—Hola —Collin se quedó mirando la cicatriz que tenía en la cabeza.

—Es enorme… ¿verdad?

Collin no respondió.

Tyler se pasó la lengua por los labios.

—¿Cómo… te llamas? —preguntó, esforzándose por pronunciar cada palabra.

—Collin.

—¿Qué… le pasó… a tu pelo, Collin?

—Se me cayó. Como a ti.

—Sí… —hizo una pausa—. De todos modos, supongo que… ya no me va… a hacer más falta.

Monica se dio la vuelta y se tapó el rostro con las manos.

—Parezco… Franken… stein.

—Tampoco estás tan mal —dijo Collin, y a continuación se volvió hacia las dos mujeres.

—¿Qué, cariño? —preguntó Addison en voz baja.

El niño desvió la mirada hacia Monica y luego la posó nuevamente en su madre. Addison lo entendió.

—¿Quieres que nos vayamos?

Collin asintió con la cabeza.

Cuando se cerró la puerta, Tyler se humedeció los labios con la lengua.

—Dime, ¿por qué… te han… traído, amigo? No me… parece… una gran… idea…

Collin se acercó a él y le puso el dedo en la cicatriz. Tyler se limitó a dirigirle una mirada burlona y entonces, cuando la oleada de energía recorrió su cuerpo, cerró los ojos y respiró profundamente. A Collin empezaron a temblarle las rodillas y se desplomó. Al oír el golpe, Addison entró corriendo y vio a su hijo tendido en el suelo junto a la cama.

—¡Collin! —Se abalanzó hacia él y lo cogió en brazos—. Collin, lo siento mucho, cariño.

La mujer también se arrodilló.

—¿Qué ha pasado? ¿Estás bien?

Entonces Tyler dijo:

—¿Mamá?

—¿Tyler?

Al muchacho ya le brillaban más los ojos. Alzó la cabeza de la almohada y recorrió la habitación con la mirada, como si acabara de despertarse súbitamente.

—¿Cuánto tiempo llevo aquí?

—¿Cómo te encuentras? —le preguntó Monica con voz temblorosa.

Tyler miró a su madre.

—¿Estoy soñando?

—No, Ty. Esto está ocurriendo de verdad —su madre lo abrazó y se echó a llorar.

Tyler se volvió a mirar a Addison y a Collin, que estaban acurrucados en el suelo. El niño estaba consciente, pero yacía sin fuerzas en brazos de su madre.

—Fue el pequeño, ¿verdad? Lo hizo él.

Addison había colocado a Collin contra su pecho y le estaba acariciando la cabeza.

—Cuando me tocó vi algo —dijo Tyler.

—¿Qué viste? —preguntó Monica.

El chico no respondió, sino que dijo:

—Ayúdale.

La mujer se arrodilló junto a Addison.

—¿Qué puedo hacer?

De pronto Addison se sintió enojada.

—Prometió no decírselo a nadie —le recordó a Monica.

—No se lo diré a nadie.

CAPÍTULO

Diecisiete

Volví de la soleada Arizona a la gris inversión invernal de Utah.
Fue como lo contrario de El mago de Oz,
de tecnicolor a blanco y negro.

DIARIO DE NATHAN HURST

La doctora Elisabeth Kübler-Ross, la renombrada psiquiatra y científica, definió las cinco fases de la pérdida y el dolor en el siguiente orden: negación, ira, negociación, depresión y aceptación. Aunque, por regla general, pensamos en estas fases en términos de la muerte, pueden aplicarse a cualquier pérdida. Con respecto a mi ruptura con Addison, estaba pasando de una fase a otra con mucha rapidez. Al principio no podía creer que hubiéramos terminado. Acabábamos de empezar. Estaba convencido de que tendría noticias de ella al cabo de unos pocos días, cuando las cosas se hubieran calmado. Al cabo de una semana al ver que ella seguía sin llamarme, supe que iba en serio y pasé a la segunda fase: ira; aunque, a decir verdad, no me duró mucho tiempo. Me resultaba difícil seguir enojado con Addison cuando conocía el motivo por el que había roto conmigo.

La tercera fase, la de la negociación, fue casi tan breve como la segunda. Las únicas cosas con las que tuve que negociar fueron con mi amor, que ella había rechazado, y con la información privilegiada sobre su hijo, algo que nunca divulgaría por muy desesperado que estuviera. De manera que en cuestión de días pasé a la depresión.

Volví de Arizona a la gris inversión invernal de Utah, lo cual parecía corresponderse con mi estado de ánimo.

No sé muy bien por qué no pasé a la última fase: aceptación. Por mucho que deseara que nuestra relación fuera duradera, lo cierto es que nunca había esperado que lo fuera. Lo del cartón de leche y eso.

El existencialismo sostiene que lo peor que había en la caja de Pandora era la esperanza. En mis momentos más sombríos había creído que se podía decir lo mismo del corazón humano. Pero entonces ya no pensaba igual. Había visto un milagro en el hijo de Addison y había sido objeto de su extraordinario don. Si en mi vida iba a haber algún momento para la esperanza, era aquél. Me encontré preguntándome por Addison y por cómo les irían las cosas a ella y a sus hijos.

Ninguno de nosotros podría haber sabido que el curso ya establecido de los acontecimientos no tardaría en volver a reunirnos.

CAPÍTULO

Dieciocho

A veces me pregunto si no es tanto que tengamos intención de hacer daño, como que no tengamos intención de hacerlo.

DIARIO DE NATHAN HURST

La noche que curó a Tyler Pyranovich, Collin durmió casi dieciocho horas seguidas. Al cabo de cuatro días todavía no tenía fuerzas suficientes para levantarse de la cama. El quinto día Addison llamó a su cardiólogo. No supo qué decirle cuando el médico le preguntó si había ocurrido algo que precipitara el repentino empeoramiento de Collin. Aparte de la fatiga, lo cual no era precisamente raro en un paciente de leucemia, el pequeño no mostraba ningún otro síntoma. Addison concertó una cita para la semana siguiente y acordó llevarle al niño de inmediato si éste presentaba algún otro indicio de desmejora.

Addison puso a Collin en su propia cama para así poder vigilarlo constantemente. Durante todo ese tiempo no dejó de reprocharse haber expuesto a su hijo. Para su alivio, la mañana del sexto día, el niño empezó a dar muestras de mejoría y su complexión pálida adquirió cierto color.

A primera hora de la tarde acudió a su puerta un hombre menudo y de calvicie incipiente.

—Señora Park, soy el doctor Pyranovich.

Addison se enojó cuando cayó en la cuenta de quién era el hombre.

—¿Qué quiere? —le preguntó con brusquedad.

—Su hijo curó al mío.

Addison se limitó a dirigirle una mirada fulminante.

—Mi esposa me dijo que usted le hizo prometer que no se lo contaría a nadie.

—Pues me mintió.

—Lo siento. Se llama Addison, ¿verdad?

Ella no se lo confirmó. Lo único que quería era que se marchara.

—Creí que le gustaría saber que hoy mi hijo ha ido a jugar al golf. La semana pasada, sin ir más lejos, pensaba que tendríamos que enterrarlo. —La miró—. Lo que ocurrió es un verdadero milagro. Mi hijo está curado.

—Me alegro mucho por usted, pero no puedo decir lo mismo de mi hijo —empezó a cerrar la puerta.

—Por favor. Comprendo que esté disgustada. Sólo he venido para ver si hay algo que pueda hacer por usted o por su hijo.

—Mi hijo está demasiado débil para levantarse de la cama. Tiene una afección cardíaca congénita y se está recuperando de una leucemia. Corrimos un riesgo al ayudar a su hijo y eso casi mató al mío. Y para agradecérnoslo, su esposa rompió su promesa. Si de verdad está agradecido, déjenos en paz y procure que no se entere nadie más.

—Lo siento mucho. Desde luego. —Vaciló—. Por favor, no me interprete mal, pero no sé cómo se le ocurrió pensar que eso sería posible. Ha habido mucha gente velando por mi hijo. Tiene montones de amigos. En el hospital todo el mundo habla de su recuperación milagrosa.

Addison estalló:

—¿Es que no lo entiende? Casi pierdo a mi hijo por curar al suyo. Si todos supieran lo que puede hacer, irían detrás de él como hizo su esposa. Si vuelve a curar a alguien, podría morir. Dígale a todo el mundo que ha descubierto una nueva cura para el cáncer, me da igual lo que les diga, pero no les hable de mi hijo.

—Comprendo —repuso él con sinceridad—. Lo siento mucho. De verdad que lo siento —bajó la mirada—. Agradezco mucho su sacrificio y el de su hijo. Quería que supiera que hoy he abierto un fondo fiduciario para su hijo. Me gustaría pagarle la universidad. No es nada comparado con el regalo que nos ha hecho él. Pero le estamos agradecidos.

A Addison le sorprendió la generosidad de semejante obsequio. Su voz se suavizó.

—Recemos para que viva lo suficiente para que pueda utilizarlo.

—Lamento mucho que su hijo esté enfermo. Para que conste, no fue mi esposa quien me lo contó. Fue mi hijo. Está entusiasmado, lo cual es comprensible. Hablaré con él. Haremos todo lo posible para que no se propague la verdad de lo ocurrido. Sin embargo, si separas las aguas del mar Rojo, siempre va a haber muchos pescadores que querrán saber qué ha pasado.

Addison no respondió.

—Que Dios la bendiga a usted y a su maravilloso hijo. Y gracias por devolverme al mío. Nunca lo olvidaré —se dio media vuelta y caminó despacio por el sendero para regresar a su coche. Addison cerró la puerta, echó el cerrojo y fue a ver cómo estaba Collin.

CAPÍTULO

Diecinueve

Las puestas de sol, al igual que la niñez,
se contemplan con fascinación no sólo porque sean hermosas,
sino porque son efímeras.

DIARIO DE NATHAN HURST

Addison estaba sentada en el borde de la cama de Collin mirando a su hijo, que estaba durmiendo otra vez. Parecía tranquilo y eso la tranquilizaba a ella también. Cuando era un bebé, Addison se pasaba horas con él en brazos, maravillándose de aquel milagro y preguntándose por cuánto tiempo se lo habría prestado Dios.

Al cabo de media hora Collin pestañeó y miró a su madre. Ella le sonrió.

—Hola, cariño.

—Hola.

Le acarició la mejilla.

—¿Cómo te encuentras?

—Bien.

—Hace un rato vino el padre de Tyler para darte las gracias. Dice que su hijo está mucho mejor. Le salvaste la vida.

—Qué bien.

Addison se lo quedó mirando llena de admiración.

—Sí, qué bien. —Le dio un beso en la frente—. Tengo que ir a recoger a Lizzy a la parada del autobús. ¿Crees que estarás bien si te quedas solo un ratito?

—Sí.

—Volveré enseguida.

El autobús llevaba unos minutos de retraso y Addison estaba mirando el reloj por quinta vez cuando el vehículo dobló la esquina y se abrió camino por la nieve fangosa hasta la parada. Elizabeth fue la primera en apearse del autobús, dando saltos con su acostumbrada energía.

—¡Hola, mamá!

—Hola, tesoro.

—¿Collin puede jugar?

—No, cariño, todavía está muy enfermo.

Elizabeth puso mala cara. A medio camino de casa preguntó:

—¿Cuándo va a volver a venir el señor Hurst?

—No lo sé.

—Creo que es muy simpático.

—Sí, lo es.

—¿Se marchó igual que hizo papá?

—No, cielo.

—¿Le dijiste tú que se fuera?

—No es asunto tuyo.

—¿Eso significa que lo hiciste?

—Significa que no es asunto tuyo. Y cuando lleguemos a casa, tienes que practicar con el piano. Mañana tienes clase.

—Ah.

Cuando entraron en casa, estaba sonando el teléfono. Addison esperaba una llamada de la farmacia y se apresuró a contestar.

—Diga.

Una voz de mujer joven dijo:

—Quisiera hablar con la señora Park.

—Soy yo.

—Señora Park, me llamo Gretchen Anderson. La llamo del *Salt Lake Tribune*.

—Lo siento, anulé la suscripción porque nunca tenía un momento para leerlo.

La mujer se rió.

—No soy de reparto, soy periodista. Tengo un amigo que es oncólogo del Hospital Regional de Salt Lake. Uno de sus pacientes experimentó la remisión más milagrosa que ha visto en los treinta años que lleva ejerciendo.

—¿Y eso qué tiene que ver conmigo?

—Según el doctor, fue su hijo quien curó a su paciente.

—No sé de qué me habla.

—Señora Park, ya he entrevistado a Tyler Pyranovich. Lo sé todo sobre su hijo y su extraordinario don. El artículo ya casi está terminado. Tenemos unas fotografías increíbles de Tyler antes y después. Sólo la llamo para comprobar algunos datos. Y me gustaría entrevistarme con su hijo, si fuera posible.

—No, no puede hablar con él. Y tampoco puede escribir sobre él.

—Señora Park, es una historia importante. Lo que ha ocurrido…

—Lo único que queremos es que nos dejen en paz.

Addison colgó el teléfono. Empezaba a tener jaqueca a causa de los nervios. Se puso los dedos en las sienes y se las frotó ligeramente. Aguardó hasta que se hubo calmado, llenó un vaso de agua en el fregadero de la cocina y fue a la habitación de Collin.

—Eh, hombrecito, es la hora de tu medicina. —Cogió la caja de pastillas del tocador y se echó tres píldoras en la palma de la mano—. Toma.

Él cogió las pastillas, se las tragó y miró a su madre con expresión inquisitiva.

—¿Por qué tienes miedo?

—No tengo miedo.

Collin se la quedó mirando.

—De acuerdo. Estoy un poco preocupada.

—¿Por qué?

Addison vio reflejada su preocupación en el rostro de su hijo.

—Por tonterías, cariño. No son más que tonterías.

CAPÍTULO

Veinte

Hay momentos —una llamada telefónica, unos golpes en la puerta—
en los que el curso de nuestra vida cambia en un instante,
trayéndonos lo que no queremos y no podemos evitar.

DIARIO DE NATHAN HURST

Addison se despertó al oír el timbre de la puerta. En un primer momento pensó que se había quedado dormida sin querer, pero luego se percató de que por las persianas aún no se filtraba nada de luz. Miró el radiodespertador y vio que todavía no eran ni las cuatro y media. Sumida en el gris desvarío entre el ensueño y la conciencia, decidió que habría oído el timbre en sueños. Se dio la vuelta para volver a dormir y el timbre sonó de nuevo. Entonces le llegaron los ladridos desaforados de *Goldie*. Se incorporó en la cama y se frotó los ojos. «¿Quién podía estar llamando a su puerta a esas horas?»

Se puso la bata, encendió la luz del pasillo y se dirigió a la puerta. Acudió deprisa, esperando que quienquiera que fuera no volviera a llamar y despertara a los niños.

Goldie estaba gruñendo, dando vueltas en círculo frente a la puerta.

—Tranquila, *Goldie*.

Sin quitar la cadena de seguridad, Addison descorrió el cerrojo y empezó a abrir. Antes de que pudiera abrir la puerta del todo, alguien se arrojó contra ella y empujó hasta que la cadena se enganchó. Addison soltó un grito. Una mano se metió por el hueco de la puerta y una mujer gritó:

—Por favor, ayúdenos. Tiene que ayudarnos.

La mujer metió la cara por el espacio abierto entre la puerta y el marco.

—Mi pequeña está enferma. Su hijo puede curarla. Ayúdenos, por favor.

Addison retrocedió. Los faros de un coche recorrieron el ventanal e iluminaron la habitación.

—Por favor. Dígale a su hijo que saque la mano y la toque...

—¡Váyase! —gritó Addison. Intentó empujar la puerta para cerrarla, pero no pudo, de modo que la dejó como estaba y vio que el brazo de la mujer pasaba por la apertura.

En las cortinas de la parte delantera de la casa se dibujaron de pronto las siluetas alargadas de varias personas. Addison se asomó y vio que en su jardín se había congregado un grupo de personas. Elizabeth entró en la habitación a trompicones con un oso de peluche en la mano, frotándose los ojos.

—Mamá, fuera hay gente hablando.

Addison la abrazó.

—Ven aquí, cariño. —Llevó a Elizabeth a su habitación, donde Collin seguía durmiendo. Cerró la puerta con llave. Entonces me llamó.

CAPÍTULO

Veintiuno

Habían descubierto a Collin.

DIARIO DE NATHAN HURST

Había puesto el despertador para que sonara a las seis y media de la mañana, pues tenía previsto coger un avión a Louisville a las nueve. Me había quedado levantado hasta las dos de la madrugada terminando de leer un libro y no había podido dejar de pensar en la historia, por lo que sólo llevaba durmiendo un par de horas cuando sonó el teléfono móvil. Lo tenía cargándose junto a la cama y lo levanté por el cable.

—¿Diga?

La voz de Addison me llegó tensa y alarmada.

—Nathan, soy Addison.

—¿Addison?

—Lamento llamarte tan temprano. No sabía a quién recurrir. Necesito tu ayuda.

Me desperté de inmediato.

—¿Qué pasa?

—El jardín de mi casa está lleno de gente. Están intentando entrar.

Resultaba difícil comprender lo que decía.

—¿Qué gente?

—Creo que un periódico ha publicado un artículo sobre Collin.

—¿Cuánta gente hay?

—No lo sé. Una docena, quizá. Tal vez más. No sé qué hacer.

—¿Has llamado a la policía?

—No. Todavía no. Siento haberte despertado. ¿Estás en la ciudad?

—Sí. Llegaré a tu casa enseguida. Llamaré a la policía de camino. Asegúrate de que todas las puertas estén cerradas y aléjate de las ventanas.

—Date prisa, por favor.

—No te preocupes. Intenta no perder la calma. Collin y Elizabeth necesitan que estés tranquila.

—De acuerdo —dijo, soltando el aire—. Está bien, puedo hacerlo.

—Ahora voy a colgar para avisar a la policía. Si ocurre algo, llámame de inmediato.

Me puse unos vaqueros y una sudadera a toda prisa y salí al gélido aire de la mañana para coger el coche. El parabrisas estaba cubierto de hielo y raspé el trozo imprescindible para tener visibilidad, subí al coche y lo puse en marcha. Mientras esperaba a que el cristal se desempañara, llamé a la policía.

—¿Policía?

—¿Qué problema tiene, señor?

—Una muchedumbre tiene rodeada la casa de una amiga mía. Temo que puedan irrumpir en ella.

—¿Cuánta gente hay?

—Al menos una docena de personas, o más. —No lo sabía con exactitud.

—¿Estas personas van armadas?

—No lo sé.

—¿Cuál es la dirección de la casa?

—Está en Murray. Creo que es el 5412 de Walden. Es la casa de Addison Park.

—¿Usted se encuentra en la casa?

—No, ahora mismo me dirijo hacia allí. Ella acaba de llamarme.

—¿Cómo se llama, señor?

—Nathan Hurst. Usted mande a la policía.

—Acaban de salir hacia allí, señor. ¿Por qué motivo han rodeado la casa?

—Por un artículo en el periódico… Dense prisa —colgué el teléfono. ¿Qué iba a decir? ¿Que el hijo de Addison podía curar a la gente por arte de magia y que todo el mundo quería un pedazo de él? ¿Y que estaba escondido en compañía de Elvis y el Conejo de Pascua?

Cuando llegué al vecindario en el que vivía Addison, el sol empezaba a asomar por encima de las montañas. Ella se había quedado corta al calcular la magnitud del gentío, pues allí había por lo menos unas sesenta personas. Había coches aparcados a ambos lados de la calle. La policía ya había llegado y estaban echando a la gente del jardín, alejándolos de la casa. Un agente me gritó cuando metí el coche por la entrada.

—Saque el vehículo de aquí, señor —tenía la mano en la porra que aún llevaba en el cinturón.

Yo había trabajado demasiado estrechamente con la policía como para sentirme intimidado. Bajé la ventanilla.

—Soy Nate Hurst. Un amigo de la familia.

—Va a tener que salir de la entrada, señor.

Puse el freno de mano, apagué el motor, me apeé y eché un vistazo a la placa del agente.

—Capitán Johnson, fui yo quien llamó a la policía.

Me dirigí al porche con el agente detrás de mí. Unos cuantos curiosos me vieron e intentaron seguirme. Me detuve y me volví hacia ellos.

—¡Márchense! —grité, y mis palabras estallaron formando nubecillas en el aire helado—. Fuera de aquí.

Un agente montaba guardia en la puerta con los brazos cruzados sobre el pecho.

—Soy un amigo —le dije—. La señora Park me está esperando.

—Tendré que comprobarlo, señor. ¿Cómo se llama?

—Nathan.

—¿Nathan qué más?

—Nathan Hurst.

Me quedé en el porche y el policía entró. Fue entonces cuando me pregunté por qué no me había puesto un abrigo. El agente salió al cabo de unos segundos.

—Puede entrar.

Dentro de la casa había unos cuantos agentes más en torno a Addison, hablando con ella. Addison se volvió hacia mí y vi que una expresión de alivio cruzaba por su rostro.

—Nathan.

Nos abrazamos en medio de la sala.

—¿Estáis bien? —le pregunté.

—Me alegro mucho de que hayas venido.

Por un momento me limité a estrecharla en mis brazos.

—Esto es una locura —dijo—. No puedo creerlo.

—¿Cómo ha ocurrido?

—Collin curó a un adolescente enfermo de cáncer y la prensa se enteró. Su madre me prometió que no se lo diría a nadie, pero... No debí permitir que lo hiciera... Se puso muy enfermo.

—¿Qué te ha dicho la policía que hagas?

—Dicen que tienen que sacar a Collin de aquí. Pero no sé adónde ir.

Pensé en ello.

—Mi apartamento es demasiado pequeño, pero cerca de mi casa hay uno de esos hoteles de estancia prolongada.

Me acerqué a la ventana y miré fuera. Los coches se desplazaban lentamente por la calzada en ambos sentidos. La policía había acordonado la parte delantera del jardín con cinta amarilla y la casa de Addison parecía el escenario de un crimen. Una furgoneta de los informativos de televisión se había detenido enfrente y una periodista estaba entrevistando a la gente al otro lado de la cinta policial.

—Parece que han llegado los informativos de la televisión.

Uno de los agentes de policía se acercó a nosotros.

—Señora Park, estamos haciendo todo lo posible para dispersar a la multitud, pero cada vez llega más gente. Creemos que lo mejor es que se lleve de aquí a sus hijos lo antes posible.

—Estábamos pensando que podrían quedarse unos días en un hotel —dije.

Addison le preguntó al agente:

—¿Se marcharán ustedes cuando nos vayamos?

—No, señora. Dejaremos apostado un coche patrulla durante un día o dos. La gente se vuelve loca con esta clase de cosas. Podrían intentar entrar en la casa y llevarse algo de su hijo, dormir en su cama o hacer alguna locura. Mañana se espera una nevada, lo cual podría contribuir a contener al gentío.

Addison frunció el ceño.

—¿Cree que mañana seguirán aquí?

—No podemos saberlo, señora. Pero si su hijo no está, no hay razón para que se queden.

—¿Cuál es la mejor manera de sacarlo de aquí? —preguntó Addison.

—Lo mejor es que nos lo llevemos y luego hagamos saber a la gente que ya no está.

—El asiento trasero de mi coche puede abatirse en el maletero —dije—. Collin podría ir tumbado en él hasta que salgamos del vecindario. Conduciré hasta cerciorarme de que no nos sigue nadie y entonces lo llevaré al hotel. Elizabeth y tú podéis recoger vuestras cosas y reuniros con nosotros esta tarde.

—¿En el maletero?

—En realidad, no es el maletero, sólo está cubierto. Collin estará bien.

—Parece razonable —dijo el agente.

Addison respiró hondo.

—De acuerdo. Iré a prepararle algunas cosas. —Addison se dio la vuelta para alejarse y se detuvo de pronto. Me miró a los ojos—. Gracias por venir. Te he echado de menos.

Sonreí. Me alegraba de estar de vuelta, fuera cual fuera el motivo.

CAPÍTULO

Veintidós

Hoy Addison me ha dicho que me quiere.
Yo no he sabido muy bien cómo reaccionar.
No tengo mucha experiencia en estas cosas.

DIARIO DE NATHAN HURST

Salí fuera, aparqué el coche en el garaje junto al de Addison y cerré la puerta. Entré en la casa por la puerta interior. Collin estaba en su habitación, tumbado en la cama jugando con la Nintendo. Elizabeth estaba sentada en el suelo frente a él, mirando y animándolo. Levantó la vista cuando entré. Se entusiasmó al verme.

—Señor Hurst, hoy no tengo que ir al colegio —dijo.

—No hay mal que por bien no venga —repuse.

—¿Qué quiere decir eso?

Le guiñé el ojo.

—Quiere decir que hoy no tienes que ir al colegio. ¿Tu mamá te ha explicado que nos vamos? —le pregunté a Collin.

—Sí. ¿Puedo llevarme la Nintendo?

—No voy a ir a ninguna parte sin la Nintendo —respondí.

El niño sonrió y apagó el juego. Addison entró en la habitación con una maleta pequeña.

—Aquí hay unas cuantas cosas de Collin. También he puesto su medicación. Algunos medicamentos tiene que tomárselos con el estómago lleno. Es importante que se lo tome todo cuando toca. He incluido una copia del horario y te llamaré para recordártelo.

Abrí la cremallera de la maleta para ver lo que teníamos. Dentro había varias mudas de ropa, unos cuantos libros y un pastillero transparente con un compartimento para cada día de la semana.

También había una bolsa de plástico llena de frascos de medicamentos y una hoja de papel doblada que supuse que era el horario. Conté doce medicamentos distintos. Más de lo que me esperaba.

—¿Cuánto crees que tardaréis? —pregunté.

—Me llevará unas cuantas horas recoger todo lo que necesitamos. Y aún tengo que encontrar a alguien que se quede con *Goldie*. —Abrió el pastillero y se echó dos píldoras en la mano—. Éstas tiene que tomárselas antes de las nueve. Debería tomárselas con el desayuno.

Las guardé en el bolsillo.

—De acuerdo. Nos registraremos en el hotel y luego nos vemos.

Addison se acercó a mí y me dijo con apenas un susurro:

—Ten cuidado con él. Ayer mismo se levantó de la cama por primera vez. No debería subir escaleras.

—Lo cuidaré bien.

Me dio un beso en la mejilla y se agachó junto a Collin.

—Te veré dentro de un rato. Hasta entonces, procura hacer todo lo que te diga el señor Hurst.

—De acuerdo. Adiós, mamá —dijo Collin, y le dio un abrazo.

—Te quiero.

—Y yo a ti.

Addison nos acompañó a la puerta. Me tomó la mano.

—A ti también te quiero, Nathan.

Era la primera vez que oía estas palabras desde que tenía ocho años.

CAPÍTULO

Veintitrés

Se dice que un minuto al otro lado del velo sería más valioso
que cualquier libro de religión jamás escrito.
Creo que es cierto.

DIARIO DE NATHAN HURST

La policía retiró la cinta amarilla y saqué el coche de la entrada despacio, dando marcha atrás. Unas cuantas personas estiraron el cuello para mirar dentro del vehículo, pero no vieron nada pues las ventanillas tintadas lo impedían y en general la gente se mantuvo a distancia. Al salir del vecindario miré por el retrovisor para ver si nos seguían. Un Cadillac Escalade salió detrás de nosotros, pero era más probable que se tratara de una coincidencia que no de un acecho. Nos siguió a lo largo de unas seis manzanas hasta que dobló por la calle State. Unos diez minutos después de salir del vecindario paré en una gasolinera.

—Creo que estamos a salvo —dije—. ¿Qué tal estás? —miré por el espejo retrovisor. La manta se alzó y Collin asomó la cabeza. Tenía el semblante pálido—. ¿Te encuentras bien?

—Sí.

—Vamos a levantar el asiento. —Bajé del coche y fui a la parte trasera.

Collin salió lentamente. Mientras yo levantaba el asiento, él se apoyó contra el vehículo.

—Ya está —le dije.

Collin se inclinó y vomitó. Me acerqué a él y le puse la mano en la espalda. Vomitó unas cuantas veces más y al final pareció que había terminado. Le di pañuelos de papel que saqué de la guantera. Se limpió la boca con ellos.

—¿Estás bien? —pregunté.

Asintió con la cabeza y miró el vómito del suelo. Me di cuenta de que estaba preocupado.

—No te preocupes por esto. Yo antes bebía mucho y me sucedía continuamente. —Le abrí la portezuela, después ocupé mi asiento y puse el coche en marcha—. Bueno, socio, vamos a poner pies en polvorosa.

—¿En qué pólvora?

—En polvorosa. Significa que vamos a huir.

No entendió nada.

—¿Cuándo va a venir mi madre?

—Esta tarde.

Se quedó callado unos minutos. Entonces preguntó:

—¿Me he metido en un lío?

Lo miré por el espejo retrovisor.

—No, claro que no.

—¿Qué quería esa gente?

Nunca se me hubiera ocurrido pensar que Collin no supiera lo que estaba pasando.

—En el periódico publicaron un artículo que hablaba de ti.

El chico pareció entusiasmado a la vez que dubitativo.

—¿De verdad?

—Ese adolescente al que curaste les habló de ti a algunas personas. Por eso vino esa gente. Querían que los curaras.

—¿Todos estaban enfermos?

—Sólo algunos. La mayoría estaban preocupados por otras personas enfermas. Igual que tu madre se preocupa por ti.

—¿Y cómo es que mamá les tenía miedo?

—Creo que tenía miedo de que hicieran que empeoraras.

Me di cuenta de que estaba rumiando mi respuesta.

—Me gustaría que estuviera aquí.

—A mí también, amigo. —Seguí conduciendo unos cuantos minutos más sin dejar de mirar por el retrovisor de vez en cuando. Me dirigí a un Starbucks donde te servían sin salir del automóvil. Mientras esperaba mi turno llamé a Miche. La pillé justo cuando iba a salir de casa para ir a trabajar.

—Miche, soy Nate.

Tras una breve vacilación, contestó:

—Espero que me estés llamando desde el aeropuerto.

—Verás, ha habido un cambio de planes. Ha surgido algo.

—¿Cómo dices?

No me sorprendió su reacción. En todo el tiempo que llevábamos trabajando juntos yo nunca había faltado a un compromiso.

—Necesito que hagas algo por mí.

—¿Qué necesitas?

—Cerca de mi apartamento hay un hotel de estancia prolongada, cerca del cruce de la calle Veintiuno con Highland Drive. No recuerdo cómo se llama. ¿Sabes a cuál me refiero?

—Sí. El que está junto al restaurante.

—Exacto. Espera un momento. —El coche que tenía delante había avanzado y me acerqué al intercomunicador—. Quiero un café solo. —Me volví a mirar a Collin—. ¿Quieres un chocolate caliente?

Me indicó que no con un gesto de la cabeza.

—¿Y un poco de agua?

Collin asintió.

—Y una botella de agua. —Volví a ponerme el teléfono en la oreja—. Ya he vuelto. Necesito que vayas al hotel y reserves dos habitaciones a mi nombre. Asegúrate de que se comuniquen y, a ser posible, que estén en la planta baja.

—¿Para cuánto tiempo?

—Digamos una semana. Cárgalo a mi tarjeta de crédito.

—¿A la de la empresa?

—No, a mi tarjeta personal. Aguarda un minuto.

Avancé y recogí las bebidas. Coloqué la mía en el posavasos del coche y le di la botella de agua a Collin.

—Perdona, ¿por dónde íbamos?

—Tengo que reservar dos habitaciones comunicadas en la planta baja para una semana y cargarlas a tu tarjeta de crédito.

—Bien. Luego coge las llaves. Procura no decirle a nadie dónde estoy.

—Esto se está poniendo un poco misterioso. ¿Tiene algo que ver con el hijo de Addison?

—¿Cómo lo sabes?

—He leído el artículo del *Tribune*.

—No fuiste la única.

—¿Es cierto? ¿De verdad puede curar a la gente?

—¿Recuerdas cuando volví de Denver y ya no tenía bronquitis?

—Ya sabía yo que ahí había gato encerrado. ¡Vaya! Es increíble. ¿Quieres que me reúna contigo en el hotel?

—No. Nos encontraremos en otro sitio, por si acaso me están siguiendo. ¿Sabes esa tienda Home Depot que hay en la intersección de la calle Veintiuno con la Tercera? Nos veremos allí.

—¿Estás metido en algún lío?

—No exactamente. Lo que pasa es que se han complicado un poco las cosas. ¡Ah! Y de camino consigue un ejemplar del periódico de hoy. Quiero leer ese artículo.

—Te llevaré el mío. ¿Qué quieres que le diga a Stayner?

—Dile que estaré unos cuantos días de baja.

—Entendido. Te llamaré cuando salga del hotel.

Metí el teléfono en un posavasos vacío.

—Mira, Collin, los arcos dorados. ¿Quieres ir al McDonald's?

—Sí, por favor. ¿Podemos entrar? Hay unos columpios.

—Lo siento, creo que es mejor que no entremos. —Detuve el vehículo detrás de otro coche en el autoservicio—. ¿Qué te apetece comer?

—Un Happy Meal con nuggets de pollo.

—Me parece que sólo sirven desayunos. ¿Qué tal unas tortas?

—Bien.

Nos dieron la comida y compré un ejemplar del *USA Today*. Al alejarnos de la ventanilla de pedidos vi que sólo había unas cuantas personas sentadas dentro. Estuve tentado de dejar entrar a Collin, pero entonces vi a alguien leyendo un periódico y me lo pensé mejor. No sabía si en el artículo sobre Collin se incluía alguna fotografía.

Aparqué en una esquina desierta del aparcamiento donde los quitanieves habían retirado la nieve formando unos montículos de un metro y medio de altura. La temperatura exterior todavía era bajo cero y dejé el coche con el motor en marcha con la calefacción puesta. Hojeé el periódico mientras me comía el panecillo con salchicha. Había un artículo de portada sobre las pésimas condiciones del sistema sanitario norteamericano con un gráfico que mostraba a cuánta gente le resultaba imposible costearse una asistencia médica adecuada. «Si pudiéramos clonar a Collin», pensé. Se me ocurrió que podría haber alguien que quisiera intentarlo. Collin permanecía sentado en el asiento trasero en silencio, mojando trocitos de torta en un pequeño recipiente de plástico con almíbar. Me acordé de las pastillas y me las saqué del bolsillo.

—Oye, tu madre dijo que tenías que tomarte esto con el desayuno.

Se las metió en la boca y se las tragó con un poco de zumo de naranja.

—Yo nunca podía tragarme las pastillas cuando tenía tu edad.

Él se limitó a cortar otro trozo de torta.

—¿Qué se siente cuando curas a alguien?

Collin se encogió de hombros.

—¿Hace que te sientas cansado?

—Sí. —Volvió a bajar la vista a su desayuno—. Cualquiera puede hacerlo.

—No, no lo creo. Tú eres muy especial.

—Lo que pasa es que no saben que pueden. ¿Sabes cuando te haces un corte y tu madre te lo besa para que se cure antes? Es lo mismo.

—No creo que sea tan fácil —dije—. Me parece que hay muchos padres que darían cualquier cosa para curar a sus hijos. —Collin no respondió—. Dime, ¿cuándo supiste que podías curar?

—Cuando estuve en el «otro sitio», ellos me lo dijeron.

—¿A qué otro sitio te refieres?

—Ya sabes. Cuando me morí.

—¿Quién te lo dijo?

—La gente.

—¿Gente? Quieres decir… ¿ángeles o algo así?

—Sólo son personas. No tienen alas.

De pronto me di cuenta de la rara oportunidad que se me presentaba. El género humano llevaba miles de años preguntándose qué había más allá de la tumba, si es que había algo. En el asiento trasero de mi Subaru yo tenía a alguien que había estado allí de verdad, una especie de Marco Polo de la otra vida.

—¿Cómo era ese «otro sitio»? —le pregunté.

Collin lo pensó un momento.

—No es fácil describirlo. Había un montón de colores que no tenemos aquí. Pero es como si todo estuviera vivo, como los árboles y los arbustos.

—Aquí los árboles también están vivos —dije.

—Ya lo sé. Pero no puedes hablar con ellos.

—¿Allí puedes hablar con los árboles?

Me miró como si no supiera qué responder.

—No hablas con ellos de verdad. Lo que pasa es que sabes lo que están pensando.

¿Los árboles piensan?

Addison tenía razón de preocuparse por la seguridad de su hijo. Bastaría con una sola aparición de Collin en el programa de máxima audiencia televisiva y las ventas de un libro escrito por el chico se dispararían y alcanzarían el millón. Podría fundar una nueva religión y tendría miles de seguidores. Decenas de miles. Como dice el dicho, en la tierra de los ciegos el tuerto es rey.

—¿Ese «otro sitio» era el cielo?

—No lo sé.

—¿Hay un infierno?

Collin me dio una respuesta sobre la que he reflexionado al menos un millar de veces desde entonces:

—No lo sé. —Entonces añadió—: Creo que quizás esté aquí.

CAPÍTULO

Veinticuatro

Collin es un niño con los pies en dos mundos.

⊠ DIARIO DE NATHAN HURST ⊠

Estaba sentado sorbiendo mi café y pensando en nuestra conversación cuando el teléfono interrumpió mis pensamientos. Miré el número. Era Miche.

—Misión cumplida, jefe. Me dirijo al punto de encuentro.

—Esto te divierte, ¿verdad?

—¿Cómo lo sabes?

—Vamos de camino. Te veo en diez minutos.

Conduje mientras Collin todavía estaba terminándose el desayuno.

—Bueno, faltan menos de dos semanas para Navidad. ¿Has decidido ya qué quieres que te traiga Santa Claus?

—Una muñeca Samantha.

No era lo que esperaba oír.

—Pensaba que querrías un juego nuevo para la Nintendo. ¿Hay muchos chicos que jueguen con muñecas hoy en día?

—No es para mí. Es para Lizzy.

—Claro. —Admito que me sentí bastante aliviado al oírlo—. ¿Y tú qué quieres?

Él volvió a meter la bandeja de espuma de poliestireno en la bolsa y la dejó en el otro extremo del asiento.

—No quiero nada.

—Tienes que querer algo.

—¿Por qué?

—Porque los niños quieren cosas.

—Yo no quiero nada. Pero Lizzy va a necesitar esa muñeca cuando yo me haya ido.

Lo miré por el retrovisor.

—¿Adónde te vas?

Parecía como si le diera vergüenza decirlo.

—De vuelta.

—¿De vuelta adónde?

—Al «otro sitio» —respondió con la misma tranquilidad como si fuera a marcharse de vacaciones.

—No deberías hablar así —dije—. Vas a ponerte mejor.

—El abuelo me dijo que no.

—¿El abuelo? Pero si tu abuelo... —me interrumpí—. ¿Has visto a tu abuelo?

—Sí.

—¿Cuándo?

—Muchas veces.

—¿Cuándo fue la última vez que lo viste?

—Anoche. Vino para contarme lo de toda esta gente que vendría hoy. Dijo que me pondría más enfermo, pero que sólo sería por un tiempo, y que entonces me marcharía para quedarme con él y con la abuela y ya no volvería a ponerme enfermo nunca más. Dijo que mamá y Lizzy tardarían un poco en venir, pero que no me preocupara porque podré verlas siempre que quiera.

El corazón me latía con tanta fuerza que tuve la sensación de que se me saldría del pecho.

—¿Te dijo cuándo te irías?

—Sí.

—¿Me lo puedes decir?

—Se supone que no debo hacerlo.

—¿Es antes de Navidad?

—Sí.

Sentí un dolor en el pecho.

—¿Se lo has contado a tu madre?

—No.

—¿Vas a contárselo?

Pareció incómodo con la pregunta.

—El abuelo dice que es mejor que no se lo diga.

—Pero ¿no crees que debería saberlo?

—Prometí que no se lo diría. Por favor, no se lo digas. —Me miró con temor—. Por favor.

Al cabo de un minuto solté el aire lentamente.

—De acuerdo, no se lo diré.

—¿Lo prometes?

Detestaba tener que decirlo:

—Lo prometo.

CAPÍTULO

Veinticinco

Para el ladrón, todo el mundo es un sinvergüenza.
Para el mentiroso, todo el mundo es un farsante.
La maldición de todo pecado es el espejo
de imágenes falsas en el que nos atrapa.

DIARIO DE NATHAN HURST

—Elizabeth, apártate de la ventana.

—Es que la gente me saluda con la mano.

—Tienes que terminar de comer para que podamos irnos.

La niña volvió a sentarse frente a su cuenco de cereales.

—¿Cuándo va a marcharse esta gente, mamá?

Addison estaba arrodillada en el suelo de la cocina metiendo comida en una maleta con ruedas.

—No lo sé. Ojalá se fueran ahora mismo.

—¿Cómo es que no los hemos dejado entrar?

—Porque no los queremos en nuestra casa.

—Pero te enfadas conmigo cuando no dejo entrar a la gente.

—A estas personas no las hemos invitado a venir. No las quiero aquí.

—Igual que a mí, ¿eh?

Addison se dio la vuelta.

—¡Papá! —gritó Elizabeth.

Steve estaba ante la puerta de la cocina. Llevaba un traje oscuro de corte europeo con una corbata de seda de un amarillo brillante y un pañuelo a juego, meticulosamente doblado, que asomaba por el bolsillo superior.

—Menudo circo tienes aquí montado, Addy. Deberías vender entradas. Tuve que mostrarle mi identificación a un ayudante del *sheriff* para poder entrar.

—¿Qué estás haciendo aquí?

Elizabeth corrió hacia él.

—¡Papá! ¿Me has traído algo?

—Esta vez no, *principessa*. Pero te lo compensaré cuando vayamos a Disneylandia.

—¿Vamos a ir a Disneylandia?

—En Navidad. Si tu mamá os deja.

—¡Mamá! ¿Podemos ir? ¡Por favor!

Addison soltó un resoplido de exasperación.

—¿Por qué prometes lo que no vas a cumplir, Steve? Haces que se hagan ilusiones y luego soy yo quien tiene que ocuparse de sus desengaños.

—Siempre se trata de ti, ¿verdad? —Se agachó junto a Elizabeth—. He pensado en llevarme a mis dos niños favoritos a Disneylandia esta Navidad. —Sonrió a la niña—. ¿No quieres ver a Mickey?

—¡Sí! ¿Podemos ir, mamá? ¡Quiero ver a Mickey!

—¿Para qué has venido, Steve?

Él se puso de pie.

—Me fue imposible venir la vez pasada que me tocaba y pensé en ponerme al día.

—Te presentas con tres semanas de retraso.

—He estado ocupado.

—¿Esto no tendrá nada que ver con el artículo del periódico?

—No. Hoy no he leído el periódico. Pero oí una entrevista de lo más interesante por la radio. Estaban entrevistando a un adolescente al que tan sólo le quedaban unos días de vida cuando un niño pequeño lo curó completamente de un tumor cerebral. Estaba a punto de cambiar de emisora cuando dijo que el niño se llamaba Collin Park. Casi me atraganté con el café que me estaba tomando.

—Y ahora que es famoso, quieres verlo.

—Y ahora que es famoso, ¿tú no quieres que lo vea?

—El único que te mantiene alejado de tu hijo eres tú mismo. El hecho de que no hayas venido a verle ni una sola vez durante su tratamiento de quimioterapia no te convierte precisamente en el Padre del Año. De todos modos ahora mismo no puedes verle, de modo que márchate, por favor. Esta mañana estamos un poco ocupados.

—No puedes impedirme que vea a mi hijo.

—Hijos. Tienes dos.

—Cálmate, Addy, antes de que nos provoques un aneurisma a los dos. ¿Por qué estás siempre tan tensa?

—Collin no está aquí.

—Buen intento.

—Muy bien, compruébalo tú mismo.

Steve la miró con recelo.

—Lo haré. —Fue a mirar a los dormitorios de Collin y Elizabeth y luego al dormitorio principal. Regresó con expresión ceñuda—. Lizzy, ¿dónde está Collin?

—Se fue con el señor Hurst.

Miró a Addison.

—¿Quién es el señor Hurst? —Se acercó a ella y entonces se dio cuenta de que estaba haciendo las maletas—. ¿Qué estás haciendo?

—Salir de aquí. La policía nos dijo que nos marcháramos.

—No pueden obligarte a hacer eso.

—Nos están ayudando.

—¿Adónde vais?

—No es asunto tuyo.

—Sí que lo es.

Addison se agachó a coger unas botellas de la nevera.

—¿Qué baza esperas sacar, Steve?

—Después de todos estos años sigues sin confiar en mí.

—He aprendido a no confiar en ti. ¿Cómo está la modelo de sujetadores?

Steve sonrió ante la alusión:

—¿Mia? La verdad es que es estupenda... y no se erige en juez de nadie. Podrías aprender mucho de ella. Deberíais ir a comer juntas alguna vez.

—Ya me reservaré un día.

—¡Caray, Addison! Buena respuesta. Antes sólo te ponías boca arriba y te hacías la muerta.

Era lo único que Addison podía hacer para no tirarle una lata a la cabeza.

—Elizabeth, ve a tu cuarto a leer.

—Quiero quedarme con papá.

—No te he preguntado lo que quieres. Ve ahora mismo.

La niña miró a su padre, que puso los ojos en blanco e hizo una mueca.

—Ya sabes lo mucho que se enfada mamá. Será mejor que te vayas antes de que explote.

Elizabeth salió hecha una furia, pisando fuerte a modo de protesta. Steve rodeó la encimera.

—¿Quieres una baza? ¿Qué te parece esto? La asistencia médica es un sector que mueve billones de dólares. ¿Tienes idea de lo que pagaría la gente para prolongar sus vidas? Piénsalo, ¿de qué te sirven cientos de millones de dólares si te estás muriendo? Nadie se los lleva al otro barrio. La gente lo daría todo por vivir. Si lo hacemos bien, seremos más ricos que Creso.

—Bravo, Steve. Has encontrado la manera de prostituir a nuestro hijo.

—Haces que parezca muy sucio.

—Porque lo es.

—No se trata solamente de dinero. Se trata del bien mayor. Piensa en toda la gente a la que podemos ayudar.

Addison cerró la cremallera de la maleta y se puso de pie.

—¿Quieres ayudar a la gente? Abre una clínica gratuita para todos los pobres que no puedan pagar una asistencia sanitaria de primera.

—La misma Addy de siempre. Sin imaginación. Sin sueños.

En aquel preciso momento un hombre pegó su rostro en el cristal de la ventana de la cocina.

Addison golpeó el cristal con la palma de la mano.

—Fuera de aquí —corrió la cortina.

—La gente desesperada puede llegar a hacer locuras, ¿verdad? —dijo él.

—No funcionará, Steve. No es como si Collin repartiera autógrafos. Cae enfermo cada vez que cura a alguien. Si vinieras más a menudo, sabrías que no se encuentra demasiado bien.

Él pareció preocupado por primera vez.

—Pero, aun así, puede hacerlo de vez en cuando, ¿no?

—No, no puede.

Steve se cruzó de brazos.

—Sin embargo, tú decidiste que se encontraba lo bastante bien como para ayudar a ese adolescente.

—Cometí un error.

—Escucha lo que dices. Salvaste la vida de un joven y fue un error —de repente su expresión cambió—. ¿Sabes?, por tu aspecto parece que tú sí te encuentras bastante bien. ¿Qué tal tu lupus?

Addison vaciló.

—Vete, hazme el favor.

Steve frunció los labios.

—De manera que ésta es tu baza. Tú ya has sacado provecho y ahora ya no te importa nadie más. —Dio un paso hacia ella con el semblante amenazador—. Permíteme que te lo deje bien claro. Desde un punto de vista legal, no puedes impedirme que vea a mi hijo. —Su expresión se relajó un poco—. Además, sólo estoy hablando de un viaje a Disneylandia para ver a uno de mis clientes, estrecharle la mano y que Collin haga lo que sea que hace, ya está. Pim, pam, pum. Incluso te daré el diez por ciento.

—¿Sabes?, antes me dabas lástima, pero ahora sólo me das náuseas.

—¿Náuseas, eh? Conozco a alguien que podría ayudarte con eso. —Se detuvo en la puerta de la cocina—. Voy a hacer lo correcto, contigo o sin ti. Tú quieres guardarte a Collin para ti sola; bueno, pues en este mundo hay gente que lucha a vida o muerte y nosotros vamos a ayudarles. Seremos sus salvadores.

—No lo olvides, Steve. Tú nunca te has preocupado por nadie en este mundo que no fueras tú mismo.

—Entonces nos parecemos más de lo que crees.

Con estas palabras se dirigió a la puerta trasera, y se marchó dando un portazo.

Addison refunfuñó cuando se cerró la puerta.

—¡Elizabeth!

La niña entró. Ya se le había olvidado que estaba enfadada con su madre.

—¿Sí, mamá?

—Vámonos de aquí.

CAPÍTULO

Veintiséis

Los héroes casi nunca son tal como los imaginamos:
unas figuras atractivas e imponentes
con músculos prominentes y barbilla perfecta.
La mayoría de las veces son seres humildes:
menudos e imperfectos.
Sólo su espíritu es hermoso y fuerte.

DIARIO DE NATHAN HURST

Cuando Collin y yo llegamos a los almacenes Home Depot, el Volkswagen amarillo descapotable de Miche estaba en el extremo este del aparcamiento, estacionado con el motor en marcha a la sombra de un gran remolque. Me situé a su lado, ambos apagamos el motor y salimos de nuestros vehículos al mismo tiempo. Daba la sensación de que allí estaba pasando algo raro.

—¿Y tu abrigo? —me preguntó.

—Me lo olvidé.

—Puedo pasarme un momento por tu casa y traértelo.

—Estaré bien.

—Es que no quiero que vuelvas a enfermarte. Aunque tal vez eso ya no sea motivo de preocupación.

Me entregó el periódico y dos pequeños sobres del hotel.

—Aquí tienes el periódico y las tarjetas de apertura de las puertas. Lo siento, pero las habitaciones están en el segundo piso. No tenían dos habitaciones contiguas en la planta baja.

—No pasa nada. Subiré a Collin en brazos. —Guardé las tarjetas en el bolsillo del pantalón—. ¿En qué sección está el artículo?

—Aquí mismo. Doblé la página para señalártelo.

Era un artículo relativamente breve teniendo en cuenta toda la atención que había generado. Había una entrevista con Tyler Pyranovich junto con fotografías suyas de antes y después. En este caso las fotos valían más que mil palabras. En la primera de ellas el chicho aparecía hinchado y con moretones, como Rocky Balboa después del combate en el que ganó su primer título. La otra fotografía parecía un retrato de busto de una agencia de modelos. Era impresionante.

—No me sorprende lo ocurrido —comenté.

—¿Está en el coche? —preguntó Miche.

Levanté la vista del periódico.

—En el asiento de atrás.

—¿Puedo conocerle?

Enrollé el periódico y me acerqué a abrir la puerta trasera. Collin estaba tumbado de costado jugando con su Nintendo DS.

—Collin, ésta es Miche. Es mi ayudante.

El niño levantó la mirada de su juego.

—Hola —dijo tímidamente.

—Hola. Encantada de conocerte. ¿Eso que tienes ahí es una Nintendo DS?

—Sí.

—Mi esposo tiene una de ésas.

—¿Un adulto tiene una?

Ella se rió.

—Sí, eso mismo dije yo. Los adultos no deberían tenerlas. Pero es que él es un poco raro. Me alegra haberte conocido, Collin.

—Gracias.

Miche cerró la puerta y dio unos pasos hacia mí.

—No es más que un niño.

—¿Y qué esperabas?

—No sé. A Moisés.

Sonreí.

—Llamé al encargado de la tienda de Louisville. Lo puse al tanto del robo y va a encargarse de todo.

—Gracias.

—¿Y ahora qué, jefe?

—Vamos a escondernos unos cuantos días y espero que todo esto se olvide. Se supone que se aproxima otra tormenta, lo cual debería ayudar.

—Mientras tanto, será mejor que me ponga a trabajar. —Sonrió—. ¿Sabes qué? Atrapé un pez. Un chaval de Nashville especializado en afanar banjos.

—¿Lo descubriste tú sola?

Parecía estar muy orgullosa de sí misma.

—Así es.

—Bien hecho. Ahora ya sé quién me reemplazará.

—Ah, no. Si tú te vas, yo también. —Abrió la puerta de su coche.

—¿Qué haces el jueves por la noche? —le pregunté.

—Nada. Dane se va a jugar al Risk con sus amigos.

—¿Alguna vez has hecho de canguro?

—¿Qué crees que hago durante todo el día?

—Gracias. Entonces, ¿te importaría vigilar a Collin y a su hermana mientras yo salgo con Addison? Te pagaré generosamente.

—No tienes que pagarme. ¿Algo más?

—Ahora mismo no. Pero lleva el teléfono encima.

—Siempre lo hago. Las habitaciones están en el ala este del edificio. *Ciao*. —Miró a Collin y le dijo adiós con la mano. Él le devolvió el saludo.

Miche meneó la cabeza, asombrada.

—No es más que un niño.

CAPÍTULO

Veintisiete

Hoy hablé con mi hermano.

DIARIO DE NATHAN HURST

Collin se quedó dormido en los pocos minutos que tardamos en llegar al hotel. Aparqué cerca de nuestras habitaciones, me incliné sobre el asiento trasero y lo desperté con delicadeza.

—Eh, amigo. Hemos llegado.

Abrió los ojos lentamente.

—¿Dónde estamos?

—En un hotel. Voy a ver cuál es nuestra habitación. —Subí las escaleras corriendo, abrí una de las habitaciones, dejé la puerta entornada con el pestillo echado para que no se cerrara y volví a bajar a toda prisa—. Voy a subirte en brazos, ¿de acuerdo?

—Claro.

Lo cogí en brazos —no debía de pesar ni cuarenta kilos— y subí las escaleras sin dificultad. Lo dejé en el sofá del salón y luego volví al coche para subir su maleta. Cuando terminé, me senté en una silla a su lado.

—¿Estás bien?

Collin asintió con la cabeza, aunque tenía aspecto de estar sufriendo.

—¿Vuelves a tener ganas de vomitar?

—No.

—¿Quieres que ponga la tele?

Me dijo que no con la cabeza. Tenía una extraña expresión perdida en su rostro.

—¿Quién es Tommy? —me preguntó en voz baja.

Su pregunta me dejó helado.

—¿Cómo sabes ese nombre? —le pregunté enérgicamente.

Él me miró con preocupación.

—Lo siento —le dije en tono más calmado—. ¿Cómo sabes ese nombre?

—Es su nombre. —Señaló detrás de mí. Un escalofrío me recorrió la espalda. Me di la vuelta, pero no vi nada. Me arrodillé junto a Collin—. ¿Ves a Tommy?

Asintió con la cabeza.

Volví nuevamente la vista hacia el punto al que había señalado.

—Ahí no hay nadie —dije, como si intentara convencerme a mí mismo. El corazón me latía con fuerza. No quería creerle. Sin embargo, ¿cómo podía haber sabido algo de Tommy? Ni siquiera a Addison le había hablado de Tommy.

—Si está aquí —dije—, va a tener que demostrarlo.

—Está ahí —insistió Collin, señalando a un metro de distancia a mi izquierda.

—La mañana en que… el día de Navidad por la mañana estábamos jugando a cazadores de caza mayor. Estábamos cazando un tigre. ¿Cómo se llamaba?

No sé si esperaba oír o sentir algo o qué, pero no ocurrió nada. Al cabo de un momento me volví nuevamente a mirar a Collin.

—No he oído nada —dije.

El niño se frotó la cara.

—Ha dicho que se llamaba *Garras Pardas*.

Me estremecí, aunque en la habitación no hacía frío. Mi hermano estaba conmigo. De pronto sentí náuseas. Cuando pude volver a hablar, dije:

—Collin, dile que lo siento mucho. Lo siento muchísimo.

—Puede oírte.

Miré nuevamente el espacio vacío que era mi hermano.

—¿Por qué no te veo? —Extendí la mano. Me temblaba—. Tócame la mano, Tommy. —No sentí nada—. ¿Collin?

—Ha dicho que no puedes sentir su presencia —dijo el pequeño con toda naturalidad.

—¿Sabe que lo lamento?

Hubo una larga pausa.

—Dice que ya es hora de dejar de lamentarse.

Se me llenaron los ojos de lágrimas.

—¿Y qué he de hacer para dejar de lamentarme, Tommy?

Cuando Collin respondió, supe que repetía las palabras de otra persona:

—Libera a mamá. Libérate a ti mismo.

CAPÍTULO

Veintiocho

Creo que la diferencia entre el cielo y el infierno
no es tanto el lugar como la compañía.
Para muchos, vivir en un mundo poblado
por gente como ellos sería el cielo.
Y para otros, sin duda, sería el infierno.

DIARIO DE NATHAN HURST

Tras marcharse de casa de Addison, Steve se detuvo en la primera tienda de comestibles por la que pasó. Metió dos monedas de veinticinco centavos en el dispensador de periódicos que había frente a la tienda y se llevó todo el montón que había dentro. En cuanto llegó a la oficina, dejó un ejemplar con el artículo de Collin en la mesa de su secretaria y le ordenó que hiciera doscientas fotocopias en color y que no le pasara llamadas. Se pasó las cuatro horas siguientes hablando por teléfono con varios periódicos y emisoras de radio programando entrevistas. Era una sencilla regla de economía: a mayor demanda mayor precio.

A eso de las cuatro visitó en su domicilio al señor Riley Franzen, uno de los clientes más apreciados del bufete.

Franzen vivía en una mansión de estilo colonial valorada en siete millones de dólares, enclavada al pie de Capitol Hill. Era una finca inmensa de casi cinco kilómetros cuadrados, eso sin incluir los dos pabellones de huéspedes que estaban desocupados. Riley Franzen había hecho su fortuna como agente inmobiliario, creando centros comerciales caros y sofisticados y avenidas llenas de tiendas. Tenía sesenta y ocho años aunque, a consecuencia de sus vicios, su cuerpo funcionaba más bien como el de un nonagenario. A partir del primer millón había llevado una vida de excesos: mujeres caras, bebida y tabaco. Como resultado de ello, le aquejaba un enfisema, una enfermedad cardíaca y la más urgente de sus dolencias, una insuficiencia hepática de grado cuatro. Durante los últimos meses había contraído ascitis, una acumulación de líquido en la cavidad abdominal que había hecho que se le hinchara el vientre tanto que parecía una mujer en su octavo mes de embarazo de gemelos.

Aun teniendo dinero e influencia, su obesidad y el estado de su corazón y pulmones lo convertían en un candidato poco probable para un trasplante de hígado. Sus médicos no creían que sobreviviera a la cirugía ni que tolerara el posterior régimen farmacológico y la ética les impedía arriesgarse a perder un paciente y un órgano sano.

Franzen había localizado una clínica discreta en Suiza donde proporcionaban órganos a clientes ricos a cambio de dinero. Aunque la procedencia de los órganos del donante era, en el mejor de los casos, cuestionable, había organizado el viaje. Mientras tanto, había puesto a su bufete de abogados a trabajar en la redacción de unas últimas voluntades, sólo por si acaso. En realidad, el propósito del testamento de Franzen no era tanto asegurarse de quién recibiría su dinero, sino más bien de quién no lo recibiría.

La enfermera de Franzen condujo a Steve al solárium. Steve llevaba varias semanas sin ver a su cliente y quedó asombrado al comprobar lo mucho que se había deteriorado en tan corto espacio de tiempo. Lo primero que se le vino a la cabeza fue que Franzen se parecía un poco a un Papá Hemingway encinta, con una barba blanca enmarcando un largo cigarro sin encender. El continuado fluir del aire y los chasquidos del depósito de oxígeno de Franzen resonaban en la habitación embaldosada. El hombre estaba sentado a una mesa de cristal haciendo un crucigrama, con una taza de té y una tetera delante.

—Buenas tardes, señor Franzen —dijo Steven, que dejó su maletín de cuero en el suelo.

El hombre se dirigió a él sin quitarse el cigarro de la boca:

—Para alguien lo serán.

Franzen era de natural cascarrabias, pero el deterioro progresivo de su salud había incrementado ese rasgo.

—Si tuviera un día peor, tendría que suicidarme.

Franzen se sacó el cigarro de la boca.

—Así que si quiere donarme su hígado no se lo impediré.

Steve retiró una silla y se sentó a la mesa. Franzen volvió a meterse el cigarro en la boca y retomó el crucigrama.

—Bueno, supongo que ya tiene preparado mi testamento —le dijo en tono brusco—. ¿Qué palabra de seis letras quiere decir «ardiente»?

—No lo sé. No se me dan bien estas cosas.

—Tampoco se le da muy bien la abogacía. Hace semanas que mi testamento tendría que estar listo.

—Ya casi está.

Franzen levantó la mirada con una expresión feroz.

—¿Todavía no han terminado? Entonces, ¿por qué me hace perder el tiempo?

—He dado con una cosa que estoy seguro de que le interesará. —Steve le entregó el periódico doblado para mostrarle el artículo sobre Collin—. ¿Ha visto este artículo?

—Hace años que sólo leo *The Wall Street Journal.*

—Va a tener que leer esto. —Steve señaló el artículo dándole unos golpecitos con el dedo.

La fotografía llamó la atención de Franzen. Empujó las gafas para subírselas por la nariz y levantó el periódico para leer el artículo. Al terminar miró a Steve.

—¿Conoce a este niño?

Steve sonrió.

—Es mi hijo.

Franzen se recostó en su asiento, mordisqueando el cigarro con las muelas.

—¿En serio?

—Collin vive con mi ex. Debería ver lo que está pasando en su casa. Parece el Desfile de las Rosas, sólo que la carroza está quieta y la que pasa es la multitud. Está llegando gente de todo el mundo. —Steve se inclinó hacia delante y bajó la voz con efectismo—. La gente ofrece sus fortunas sólo para que los toque.

—¿Todo a raíz de este artículo del *Salt Lake Tribune* de la mañana? —terció Franzen con escepticismo.

—Por supuesto que no. Está en Internet.

Franzen volvió a mirar el periódico.

—¿Puede ponerme en contacto con él?

Steve vio la desesperación en los ojos del anciano, cosa que le encantó.

—Bueno, es lo que he venido a negociar —repuso con fingido desinterés—. Supongo que con el incentivo adecuado todo es posible.

La súbita insolencia de su abogado enfureció a Franzen.

—Soy uno de los primeros clientes de Hardy Nelsen. Yo ya tenía tratos con el bufete cuando usted todavía llevaba pañales.

—Y ahora es usted quien los lleva.

A Franzen se le enrojeció el semblante.

—Insolente hijo de...

Steve lo interrumpió.

—Basta ya, Franzen. Para mí se ha terminado el trabajo diario. Y ya no le rindo pleitesía ni a usted ni a nadie. Sé cuánto vale lo que tengo. Puedo ganar más en una hora de lo que gana todo el bufete en un año, lo cual significa que mañana a las tres de la tarde puedo retirarme siendo más rico que Creso. Pero si no le interesa... —Steve se levantó y cogió el maletín—. Estaré en su funeral —le dio la espalda y se dispuso a marcharse.

Franzen se quitó el cigarro de la boca y lo dejó en la mesa.

—Espere, Park. Hablemos.

Steve detuvo sus pasos y una sonrisa casi imperceptible asomó a sus labios. Se dio media vuelta y miró al anciano.

—Francamente, Riley, por tratarse de usted le estaba ofreciendo la exclusiva. —Steve regresó a la mesa dominando deliciosamente la situación—. Sólo para que entienda el alcance de todo esto, le diré que tengo a jeques de los Emiratos Árabes Unidos que quieren mandar jets privados para recoger a mi hijo. Son personas muy ricas, incluso para usted. Todo es cuestión de la oferta y la demanda. Millones de personas buscando una cura y sólo hay una fuente. —Steve tomó asiento y colocó el maletín entre los dos—. Por desgracia, mi hijo sólo puede hacer algunas curas al año y usted sabe mejor que yo que la escasez aumenta el precio de todo. Desde la publicación de este artículo las ofertas están llegando con rapidez y abundancia. Todo depende del mejor postor. Le estoy dando ventaja.

—Mi reino por un caballo —dijo Franzen en voz baja.

—No le estoy pidiendo todo el reino. Sólo una parte de aquello a lo que usted ya ha renunciado. —Steve abrió el maletín—. He pasado las últimas tres semanas mirando todo ese dinero que tiene pensado dejar a hijastros perezosos e ingratos que en realidad no le importan, a ex esposas a las que no soporta y a codiciosas organizaciones benéficas que le traen sin cuidado. Es su dinero. Debería utilizarlo para usted. —Steve levantó el cigarro de la mesa—. Siempre le gustaron las cosas buenas. Sobre todo los cigarros. Imagínese si pudiera volver a encender uno. —Miró a Franzen a los ojos—. La verdadera pregunta es: ¿cuánto vale eso para usted?

CAPÍTULO

Veintinueve

Una cosa es alegrarse de los logros de un niño
y otra muy diferente utilizarlos para nuestro engrandecimiento.
Aprovecharse del éxito de un niño es un incesto emocional.

DIARIO DE NATHAN HURST

Cuando Addison y Elizabeth llegaron, yo todavía estaba bastante impresionado por la experiencia con Tommy. Addison iba cargada de bolsas. Elizabeth llevaba una mochila pequeña al hombro y una jirafa de peluche bajo el brazo.

—Deja que te eche una mano —dije, y le cogí las bolsas a Addison.

—Gracias. —Me dio un beso en la mejilla—. ¿Dónde está Collin?

—En el dormitorio, durmiendo. ¿Tienes alguna otra cosa en el coche?

—Hay otro par de bolsas. Pesan mucho. Al menos para mí.

Bajé al coche y subí el resto de las bolsas. Cuando regresé, Addison estaba de pie en la cocina mirando la alacena que había junto a la nevera.

—¿Qué llevas en estas maletas? ¿Plomo?

—Lo siento, es comida. Déjalas aquí en el suelo. No estaba segura de cuánto tiempo estaríamos fuera, de manera que vacié los armarios. —Abrió la cremallera de la maleta y empezó a colocar su contenido en la despensa. Me agaché para ayudarla.

—Espera, te iré pasando las cosas.

—Gracias.

—Por la cantidad de comida que traes deduzco que la gente sigue rodeando tu casa.

—Hay más que antes.

—¿Cómo fue la huida?

—Emocionante. Al menos me siguieron seis personas. Cuando me detuve en el semáforo de la rampa de salida de la Setenta y dos, un hombre salió de su coche, se acercó y empezó a mirar dentro del mío. Entonces cambió el semáforo y la gente comenzó a tocar el claxon y a gritarle. Después lo perdí. Me siento como si fuera una fugitiva. —Soltó aire—. ¿Collin se tomó las pastillas?

—Sí.

—Gracias.

Entró Elizabeth.

—¿Puedo ver la tele, mamá?

—No, cariño. Collin está durmiendo.

—Puede verla en mi habitación —dije.

—¿Tienes una habitación? —preguntó Addison.

—Está justo al otro lado de esa puerta. Tenía intención de vigilaros.

Addison sonrió.

—Eres mi héroe.

Llevé a Elizabeth a mi habitación y encendí el televisor. Cuando la niña se hubo acomodado, Addison ya había terminado de colocar la comida y estaba sentada a la mesa de la cocina esperándome.

—Iba a contarte que esta mañana apareció mi ex.

Me senté a su lado.

—¿Coincidencia?

—Sí, seguro. Tiene un plan para hacerse «más rico que Creso». O por lo menos más rico que Warren Buffett.

—¿Y tiene que ver con Collin?

—Por supuesto. Lo que me preocupa es que no puedo impedir que Steve lo vea. Sigue teniendo derecho a las visitas.

—Pero sabe que curar a la gente hace que Collin empeore, ¿no?

—Se lo expliqué, pero recuerda que estamos hablando de un hombre que dijo que no podía ir al hospital a ver a Collin porque su nueva esposa sufría estrés por una sesión fotográfica que tenía dentro de poco.

Ladeé la cabeza.

—¿Cómo es que una mujer inteligente como tú se enamoró de un tipo como ése?

—Steve era encantador.

—Sí, lo parece.

—No, en serio, lo era. Era muy dulce. Todo el mundo me decía constantemente lo afortunada que era de tenerlo. Y yo los creí. Conquistó a todo el mundo menos a mi padre. Él lo caló enseguida. No dejaba de preguntarme si estaba segura de lo que hacía cuando me casé con él. Lo cierto es que creo que me daba miedo que no me quisiera nadie más.

—¿Que no te quisiera nadie más?

Me sonrió.

—Sé que tú piensas que soy hermosa. Eres un encanto. Pero no hay duda de que florecí muy tarde. Era una muchacha sin nada de busto, con aparatos en los dientes y acné. Nadie me sacó a bailar en el baile de despedida del instituto.

—Me cuesta creerlo.

—Bueno, te puedo enseñar fotos —sonrió tímidamente—. Pero gracias.

—¿Cuándo empezaste a sospechar que había serpientes en el Jardín del Edén?

—El día de nuestra boda. Vi ese otro lado suyo. Fue una estupidez. Me salió un grano en la mejilla. A mí me dio un ataque, por supuesto, y me puse una tonelada de maquillaje encima. Se lo conté a Steve pensando que me haría sentir mejor... ya sabes, que me diría «no hay para tanto» o «yo no veo nada». En cambio, se enfadó mucho conmigo. No tardé en aprender que, para él, en la vida sólo importan las apariencias.

»Creo que por ese motivo está tan alejado de nuestro hijo. Collin no tiene nada que ofrecerle. Steve no quiere un buen hijo pequeño, él quiere un hijo que sea bueno en algo. Algo que lo haga parecer bueno a él. Collin nunca pudo ser un héroe de la liga de béisbol infantil. La verdad es que Steve era muy duro con él. —Se le empañaron los ojos—. Lo que más me duele es que Collin lo intentó. Trataba de hacer cosas para que su padre se sintiera orgulloso de él. Quería con toda su alma complacer a su papá. Dibujaba y modelaba cosas con arcilla. Realmente quería complacer a su padre. Nunca lo consiguió.

—Hasta ahora —dije.

—Hasta ahora. Ahora es un dichoso Babe Ruth —dijo meneando la cabeza—. Al mes de que se hubiera marchado Steve, una amiga me dejó un libro sobre sociópatas. Uno de los casos investigados que leí retrataba a la perfección a Steve de forma absoluta. Podían haber cambiado los nombres y ya está.

—Yo también he conocido a bastantes sociópatas —dije—. Se les da muy bien ser encantadores hasta que no les das lo que quieren. Entonces se convierten en Ted Bundy. Una vez estaba interrogando a un tipo, un sociópata de marca mayor que estaba como para que lo encerraran, y en mitad de las preguntas y respuestas se puso de pie dispuesto a marcharse.

—¿Dejaste que se fuera?

—Oh, no. Lo tumbé antes de que llegara al pasillo. El agente de policía lo esposó y se lo llevó de allí a rastras, lo cual fue una pena porque el tipo ya me tenía más que harto y estaba esperando que intentara pegarme. No somos conscientes de los muchos sociópatas que hay por ahí.

—Bueno, pues yo cometí un error y me enamoré de uno de ellos. Lo que me pregunto es por qué tenemos que seguir pagando por el mismo error una y otra vez y por qué tienen que pagar nuestros hijos por nuestros errores.

Eso era algo con lo que me había pasado la vida batallando.

—Se me olvidó decirte que Collin vomitó al cabo de unos minutos de salir de casa.

Addison dejó caer la cabeza entre las manos.

—¡Ojalá pudiera curarse a sí mismo! —dijo en voz baja. Volvió a mirarme—. ¿Y tú qué tal estás? Pareces muy tenso.

Consideré hablarle de lo de Collin y Tommy, pero decidí esperar.

—No es más que cansancio. Anoche sólo dormí unas horas.

—Y yo no te ayudo demasiado. Lamento haberte arrastrado a todo esto.

—No lo lamentes.

—¿Quieres que te haga un masaje en la espalda?

Creo que le hizo falta reunir valor para preguntármelo.

—Sí. Me gustaría.

—Iremos a tu habitación. —Me tomó de la mano y pasamos junto a Elizabeth hasta el dormitorio principal de mi *suite*—. Lizzy, voy a darle un masaje al señor Hurst, de manera que no molestes a menos que sea una urgencia.

—De acuerdo, mamá.

Una vez que estuvimos en la habitación, Addison me ayudó a quitarme la camiseta. Me tendí en la cama. Ella se arrodilló a mi lado y empezó a friccionarme los músculos, subiendo hacia el cuello.

—Debería hacértelo yo el masaje —dije—. Eres tú la que está estresada.

—Así combato yo el estrés. Creo que la mejor manera de curarse uno mismo es ayudando a que otros se curen.

—A menos que seas Collin —añadí. El tacto de Addison se suavizó. Me volví a mirarla y en sus ojos vi que la había herido—. Lo siento —la acerqué a mí y la estreché entre mis brazos. Me quedé dormido abrazado a ella.

CAPÍTULO

Treinta

Earl *sigue aguantando, sigue y sigue…*

⊠ DIARIO DE NATHAN HURST ⊠

Cuando me desperté estaba solo en la habitación. Me puse la camiseta y me dirigí a la puerta que separaba la *suite* de Addison de la mía. Llamé una vez y abrí la puerta. Ella estaba cortando queso en la encimera de la cocina.

—¿Qué tal la siesta?

Bostecé.

—Bien. ¿Cuánto rato he dormido?

—Casi cuatro horas.

—¡Caray!

—Te hacía falta descansar. Miche llamó hace una media hora. Sólo quería saber cómo estabas. Espero que no te importe que cogiera tu teléfono.

—No me importa —bostecé otra vez—. Voy a ir al gimnasio a correr y luego pasaré por mi casa a buscar unas cuantas cosas. Además, tengo que darle de comer a *Earl*.

—¿Quién es *Earl*?

—Mi pez.

Ella sonrió.

—Voy a hacer unos sándwiches de queso gratinados y sopa de tomate. ¿Quieres que te guarde un poco?

—No, quizá llegue tarde. Ya comeré algo por el camino.

Me sentó bien volver al gimnasio. Estuve un par de horas haciendo ejercicio, principalmente levantando pesas, y al salir me compré una hamburguesa de camino a mi apartamento. Al llegar a casa me duché y me afeité, luego metí un poco de ropa y unos cuantos artículos de tocador en una bolsa. Esta vez no me olvidé el abrigo. Al salir, eché una pizca de comida para peces en el acuario y regresé al hotel a eso de las nueve. Los niños ya estaban durmiendo. Addison estaba sentada en el sofá haciendo punto.

—¿Todo bien en tu casa?

—Como siempre.

—¿Y *Earl*?

—*Earl* está bien.

—¿Qué clase de pez es?

—No lo sé. Es naranja. Me costó tres dólares.

—¿Quién cuida de *Earl* cuando estás de viaje?

—Nadie. *Earl* no se morirá. Todos los demás peces que tenía se me murieron. Tenía un pez ángel de veinticinco dólares. Se murió. Pero *Earl* no. Estoy esperando a que se muera para poder deshacerme de la pecera. No tengo valor para tirarlo por el retrete.

Addison se burló.

—¿Quién le pone *Earl* a un pez?

—Es por esa canción de las Dixie Chicks, «Goodbye, Earl». Pero *Earl* no se muere. No se morirá nunca. Cuando ya haga tiempo que nosotros hayamos desaparecido, ese pez seguirá nadando. Es como el conejito de Energizer en versión acuática.

—¡Qué cruel eres!

—A mí me lo vas a decir.

Addison dejó la calceta.

—Salgamos fuera y hablemos —dijo. Se puso el abrigo, salimos y nos sentamos en la escalera, en la puerta de la habitación. Dejó la puerta entornada para oír a los niños si se despertaban. La atmósfera era dulce y húmeda, un presagio de la tormenta que se avecinaba. Addison miró al cielo—. Me gusta cuando el aire está así. ¿Cuántos centímetros se pronostican?

—Creo que en Eubank hablaron de quince a veinte centímetros en el valle. Eso debería ahuyentar a los admiradores de Collin.

—Eso espero —apoyó la cabeza en mi hombro y permaneció unos momentos en silencio. La rodeé con el brazo.

—Creo que tendré que llevar a a Collin al médico. No está mejorando demasiado. Tengo la horrible sensación de que le va a pasar algo malo.

Me miró.

—Tú no crees que le vaya a pasar nada, ¿verdad?

No me gustó nada la pregunta.

—Todo saldrá como tiene que salir —respondí.

—Eso no es muy reconfortante.

La estreché contra mí.

—¿Recuerdas que me preguntaste cuándo me había enterado de que Collin podía curar? No te conté toda la verdad. —Me frotó la rodilla con la mano—. Yo fui la primera persona a la que curó. Un par de años antes de que a Collin lo operaran del corazón contraje lupus. Tardaron un tiempo en diagnosticármelo. Siempre estaba cansada y al principio pensaron que tenía mononucleosis, después Epstein-Barr o un síndrome de fatiga crónica. Steve solía gritarme mucho. Me decía que lo único que me pasaba era que era una holgazana. Luego me salió un enorme y feo sarpullido en la cara, un eritema malar. Fue entonces cuando finalmente mi médico descubrió de qué se trataba. Cuando le hablé a Steve del diagnóstico, me preguntó si era mortal. —Bajó la mirada—. La forma de preguntármelo… ¿Te imaginas lo mucho que duele saber que tu esposo espera que te mueras? Después me enteré de que ya tenía una aventura. Me dejó al cabo de unos meses.

»Unas semanas después de la operación de Collin, yo estaba en su habitación metiéndolo en la cama. Le estaba haciendo cosquillas en la espalda y entonces se dio la vuelta y me tocó la cara. Una tremenda oleada de energía me recorrió el cuerpo. Tú la has sentido, de modo que ya sabes lo poderosa que es. Yo no tenía ni idea de lo que había ocurrido, pensé que me estaba dando un sofoco o algo así. Pero al día siguiente el sarpullido y la hinchazón habían desaparecido y yo volvía a ser la de siempre.

—Es realmente fabuloso.

—Al principio yo también lo pensé. Pero a la mañana siguiente Collin estaba tan enfermo que no pudo levantarse de la cama. En menos de un mes descubrimos que tenía leucemia. Creo que el hecho de curarme y de que contrajera cáncer podrían estar relacionados.

—Eso no lo sabes.

—No. No estoy segura. Pero ¿y si fuera así?

—Creo que Collin tomó una decisión. Y que si tuviera que volver a tomarla volvería a curarte.

Addison me cogió del brazo, se apoyó en mí y permanecimos sentados en silencio. Al cabo de diez minutos empezó a nevar.

CAPÍTULO

Treinta y uno

Nuestros pensamientos no son flechas lanzadas
al cosmos de manera caprichosa.
Son bumeranes.

DIARIO DE NATHAN HURST

El domingo a primera hora de la mañana los quitanieves habían salido en masa. El retumbo de sus palas me despertó antes de amanecer y me quedé en la cama mirando al techo. Luego descorrí la cortina y contemplé un panorama estelar del aparcamiento de la parte trasera del hotel y de una tienda Target cercana. Parecía haber más de treinta centímetros de nieve acumulada. Cogí un libro, la última novela de suspense de David Baldacci, y me tumbé en la cama para leer. A eso de las siete oí el sonido del televisor en la habitación de Addison, de modo que me vestí y llamé suavemente a la puerta interior que comunicaba los dos cuartos. Abrió Addison. Iba despeinada y llevaba puesta una bata de felpa que le llegaba hasta el tobillo.

—Llegas justo a tiempo de tomar un café —dijo.

Entré. Elizabeth estaba sentada con las piernas cruzadas frente al televisor, absorta en los dibujos animados de Bugs Bunny. Tomé asiento en la mesa de la cocina.

—¿Collin duerme todavía?

—Sí. Se ha pasado toda la noche dando vueltas en la cama. Estoy agotada. Tengo azúcar, edulcorante Sweet'N Low y Coffe-mate.

—Dos Sweet'N Low.

Vertió los sobres en mi taza y me la acercó.

—Dime, ¿qué planes tienes hoy?

—Había pensado en acercarme en coche a tu casa y ver qué está pasando —tomé un sorbo de café—. Miche dijo que cuidaría de los niños esta noche si te apetecía que saliéramos a cenar. Esta vez no apagaremos los móviles —me apresuré a añadir.

—Me encantaría salir.

Dejó de remover la crema en polvo que se había echado en el café. Se acercó y se sentó de lado en mi regazo. Le rodeé la cintura con los brazos y nos dimos un beso.

—¡Os he pillado! —exclamó Elizabeth.

—Vete acostumbrando, cariño —repuso Addison. Me miró a los ojos—. Y tú también.

Volvimos a besarnos. Al separarnos, ella dijo:

—Es un tanto curioso, ¿no? Volvemos a estar donde empezamos, aislados por la nieve en un hotel.

—Teniendo en cuenta la compañía, tampoco es tan mala suerte —comenté.

—No, en absoluto —repuso ella con una sonrisa.

CAPÍTULO

Treinta y dos

En la Biblia se cuenta la historia de un estanque llamado Betesda al que los enfermos iban a curarse.

«Porque un ángel descendía de tiempo en tiempo al estanque y agitaba el agua, y el que primero se bañaba en el estanque tras el movimiento del agua quedaba sano de cualquier enfermedad que tuviese.»

En cierto sentido la historia se había repetido con Collin.

DIARIO DE NATHAN HURST

Erróneamente, había creído que la tormenta nocturna habría obligado a toda la gente desesperada a marcharse de casa de Addison. No podía haber estado más equivocado. En todo caso, había impulsado a los fieles a acudir. La calle estaba bordeada de caravanas y autocaravanas, casi todas con matrículas de otros estados.

Al aproximarme a casa de Addison quedé asombrado. La cinta que había colocado la policía seguía intacta, pero tras ella había un par de docenas de personas o más con los brazos en alto, extendidos hacia la casa, supuestamente absorbiendo el poder curativo que emanaba de ella. Había gente vendiendo velas y rosarios. Un hombre vendía unas estampas con un retrato de Collin que parecía recortado de una fotografía escolar en grupo.

Metí el coche parcialmente en la entrada y de inmediato un agente se dispuso a interceptarme. Era el capitán Johnson. Lo saludé con la mano y me reconoció. Se acercó a la ventanilla de mi coche:

—¿Se lo puede creer? Pensábamos que a estas alturas ya se habrían ido. Esto es un carnaval.

—Sólo faltan los perritos calientos y la mujer barbuda —dije.

—No, también los tenemos —repuso Johnson—. Alrededor de mediodía viene un furgón de comida con perritos calientes y porquerías. Y creo que esta mañana vi a una mujer barbuda. Si no, era el hombre más feo que he visto jamás.

Sonreí.

—¿Ha habido algún alboroto?

—Anoche entonaron unas salmodias que irritaron a los vecinos. Luego, hacia la una de la madrugada, alguien entró en el sótano. Tuvimos que esposarle y sacarlo a rastras. Supongo que ahí abajo hay una habitación que tiene algo especial, pues el tipo no dejaba de gritarle a todo el mundo que había un templo en el sótano.

—Es la habitación donde Addison hace los masajes —le expliqué—. Es masajista terapéutica.

—Pues no creo que tenga problemas para conseguir clientela después de esto. Aparte de eso, todo ha estado bastante tranquilo. ¿Sabe lo que sí es una locura? Algunos médicos han presentado quejas en la oficina del fiscal general porque dicen que el niño está ejerciendo la medicina sin licencia.

—¿Y qué van a hacer, demandarlo? —le pregunté.

—Estoy seguro de que alguien lo hará. Dios bendiga a América, la tierra de los juicios.

Meneé la cabeza.

—Addison se dejó algunos medicamentos de Collin en casa. ¿Puedo entrar?

—Sí, dígale a McClowsky que hemos hablado.

—Gracias.

En el interior de la casa había un agente sentado en el sofá, leyendo un ejemplar de la revista *Cosmopolitan* de Addison. Levantó la vista cuando entré.

—¿Agente McClowsky? Johnson me dejó entrar —dije.

—No hay problema.

Encontré las pastillas en el botiquín del cuarto de baño de Addison y después me detuve a regar las plantas de la ventana que había sobre el fregadero de la cocina. Regresé al coche. Cuando iba a entrar, me fijé en un hombre que estaba delante de una gran caja de cartón con las palabras AUTÉNTICOS ARTEFACTOS CURATIVOS escritas en rotulador negro. Me acerqué a él.

—Dígame, ¿qué tiene ahí dentro?

—Vendo algunos efectos personales del niño. Tienen poderes.

—¿En serio? ¿Dónde los ha conseguido?

—Soy amigo de la familia.

—¿Eso es verdad?

—Claro, Allison y yo nos conocemos desde hace mucho.

—¿Allison?

—Así se llama la madre. Siempre supe que ese niño era especial. Una vez compré una gorra suya en una venta de garaje, se la di a mi sobrino que tenía autismo y ahora ha desaparecido.

—¿La gorra?

—El autismo. El médico dijo que era un milagro. Dijo: «En treinta años de profesión nunca he visto nada parecido». Anoche le vendí un par de calcetines a un hombre que se los puso en las manos para su artritis. Esta mañana ha venido y me ha dicho que ya se siente mejor.

—¿Cuánto sacó por los calcetines?

—Cien pavos. Le hice un buen precio.

—Es asombroso.

—Ya lo creo, tienen propiedades curativas. Y tengo otras cosas aún más potentes. Eche un vistazo.

—No, me refiero a que es asombroso que consiguiera que un idiota le pagara cien pavos por los calcetines usados de alguien —metí la mano en la caja y saqué una camiseta.

—¡Eh! No le dije que pudiera tocar nada. No quiero que estas cosas pierdan sus virtudes.

Estaba claro que la camiseta era demasiado grande para Collin. Volví a echarla en la caja.

—¿Y qué pasa cuando lo haya vendido todo?

—Tengo toda una carretada de cosas suyas en mi garaje.

Esbocé una sonrisa burlona.

—Apuesto a que sí.

CAPÍTULO

Treinta y tres

Los pequeños detalles, involuntariamente,
a menudo reportan las mayores compensaciones.

DIARIO DE NATHAN HURST

Addison se disgustó cuando le conté que la multitud que había frente a su casa había aumentado. Las perspectivas de volver a la vida normal eran cada vez menores. Me alegré de que hubiéramos planeado salir; Addison necesitaba un respiro.

Miche llegó al hotel con media hora de adelanto, entusiasmada con la idea de pasar un rato con Collin y Elizabeth. De camino había pasado por casa de una amiga suya y había llenado una mochila con películas infantiles. Se alegró de ver que volvíamos a estar juntos.

—Muy bien, Miche —dije—, nos vamos a cenar. Puedes ponerte en contacto conmigo llamándome al móvil. Lo tendré conectado todo el rato.

—No te preocupes, todo va a ir estupendamente. Vosotros pasadlo bien.

Miche preparó macarrones con queso para que cenaran los niños. Cuando terminaron de comer, los mandó al dormitorio a ver la televisión mientras ella metía un paquete de palomitas en el microondas y fregaba los platos. Al terminar se reunió con ellos en el dormitorio.

—Traigo las palomitas —dijo Miche—. Intentad que no se os caigan.

—¿Y si se me caen? —preguntó Elizabeth.

—Entonces tendrás que ayudarme a limpiar.

—¿Tienes hijos? —le preguntó Collin.

—No.

Elizabeth la miró con atención.

—¿No eres ya lo bastante mayor para tenerlos?

—Gracias, Elizabeth —repuso ella—. Has conseguido unas palomitas extra por eso. En realidad, mi esposo y yo queríamos tener hijos, pero el médico dijo que no puedo.

—¿Y cómo es eso? —preguntó Collin.

—Mi cuerpo no funciona bien.

—¿Está roto? —preguntó la niña.

—Sí. Está roto.

—¡Qué pena! —dijo Elizabeth—. Serías una buena mamá.

—Gracias, cariño. Pero no pasa nada. Vamos a adoptar. Hay muchos niños en este mundo que necesitan unos padres, de modo que quizá sea eso lo que Dios quiere que hagamos.

Collin la miró con desconcierto.

—¿Dios hizo que no pudieras tener hijos?

—No. Creo que a veces las cosas simplemente son como son. —Sonrió forzadamente, ansiosa por cambiar de tema—. Bueno, vamos a ver qué tenemos aquí. —Rebuscó en una mochila llena de deuvedés y videojuegos—. *Bob Esponja*, *Tom y Jerry*, *Aladino*, *Scooby Doo* y aquí hay un clásico que está muy bien, *Cariño, estoy hecho un perro.*

—*Scooby Doo* —dijo Collin.

—Un voto para *Scooby Doo*. ¿Elizabeth?

—*Scooby Doo* —dijo ella.

—Pues *Scooby Doo*.

Miche puso el deuvedé en el reproductor y volvió a sentarse en la cama, recostada en unos almohadones del sofá. La niña se sentó en el regazo de Miche y le pidió que le trenzara el pelo. Luego Collin preguntó si quería hacerle cosquillas en la espalda.

Cuando terminó la película los dos niños se habían quedado dormidos. Miche llevó a Elizabeth a la sala y la metió en el sofá cama. Regresó al dormitorio. Collin se había despertado.

—¿Estás bien, amigo?

—Sí.

—Te quedaste dormido. —Miche le subió las sábanas hasta el cuello. Entonces apagó todas las luces menos la de una lámpara de pie—. ¿Esta luz es demasiado fuerte?

—No. Me gusta la luz encendida. ¿Cuándo va a volver mi mamá?

—Pronto. Pero yo estaré aquí hasta entonces.

—¿Miche?

—Sí.

—Eres muy simpática.

—Gracias, Collin. Tú también me lo pareces.

—¿Puedo abrazarte?

Miche sonrió.

—Gracias. Me gustaría mucho.

Se inclinó sobre la cama y Collin la rodeó con sus brazos. Miche sintió que algo hermoso se movía en su interior y, por motivos inexplicables, se echó a llorar.

—Eres un niño muy especial, ¿verdad?

Él no dijo nada, se recostó en la almohada y cerró los ojos. Miche le dio un beso en la frente.

—Buenas noches, pequeño.

CAPÍTULO

Treinta y cuatro

Todos somos lunas. Lo que pasa es que a algunos se les da mejor esconder su lado oculto.

DIARIO DE NATHAN HURST

Addison y yo cenamos en un restaurante italiano llamado Michelangelo's situado en un sótano. Era un italiano auténtico: casi todos los empleados eran inmigrantes de la provincia de Lucca con permiso de residencia y trabajo. Nuestro camarero nos explicó sin ningún reparo que en la pequeña cocina sólo tenían un fogón con cuatro quemadores, de modo que tendríamos que pedir lo mismo los dos. Acordamos pedir raviolis de calabaza con salsa de azafrán.

Al terminar de comer subimos en coche a la montaña para contemplar el valle. El cielo estaba despejado y sólo lo surcaban unas cuantas briznas de nube, como leche derramada. Addison alargó el brazo y me tomó la mano.

—¿Sabes lo encantador que me pareces? —dijo.

—Te engañas.

Frunció el ceño.

—Cada vez que digo lo maravilloso que eres, tú respondes con algo negativo.

—No conoces mi verdadero yo.

—¿En serio? Así pues, ¿no eres el hombre con bronquitis que le ofreció su habitación a una perfecta desconocida? ¿Ni el hombre que corrió al rescate de mi familia después de que yo lo hubiera echado de mi vida desconsideradamente? Y el hombre que me trata tan bien, ¿ése tampoco eres tú?

Bajé la mirada.

—Todo el mundo tiene secretos, Nathan. Y todo el mundo piensa que nadie lo querría si conocieran a la persona que hay detrás de la máscara. Tú no eres una excepción. Pero yo he visto a tu verdadero yo. Ojalá tú también pudieras verlo. —Frotó suavemente su mano contra la mía—. Tiene que ver con lo que viste durante el masaje, ¿verdad? Con tu hermano.

Si aún me hubiera aquejado el Tourette, probablemente me hubiera estado agitando como un muñeco de cuerda. Asentí con la cabeza sin mirarla.

—Nada de lo que pudieras contarme disminuiría el amor que siento por ti —dijo. Supongo que no la creí. Sin embargo, en todos los engaños llega un momento en que la ocultación resulta más dolorosa que la verdad. Estaba cansado de cargar con mi secreto esperando que estallara. Miré el volante.

—Nunca se lo he contado a nadie.

—En ese caso cada uno de nosotros guardará el secreto del otro.

Pasó un minuto entero y entonces dije:

—Maté a mi hermano.

La miré esperando ver una expresión de horror en su cara. En cambio, parecía pensativa. En cualquier caso, lo que sí estaba claro es que no salió corriendo por la puerta.

—Cuéntamelo.

—Yo sólo tenía ocho años. Mi hermano, Tommy, tenía doce. Era el día de Navidad. Mi padre le regaló un rifle del veintidós. Él creía que todos los hombres debían tener un arma, que era como un rito de tránsito. Mi madre se oponía a ello con vehemencia, pero mi padre fue a la suya y lo compró de todas formas.

»Tommy y yo jugábamos a que éramos cazadores —vacilé—. Ni

siquiera recuerdo haber apretado el gatillo. Simplemente hubo un estallido. Entonces vi sangre por todas partes. Mi hermano no dejó de mirarme ni un momento. Incluso cuando ya no estaba, sus ojos seguían abiertos mirándome fijamente. Eso fue lo que vi cuando me hiciste el masaje. Vi sus ojos.

Addison me rodeó con los brazos, atrajo mi cabeza contra su pecho y me abrazó.

Oí su corazón mientras ella me mecía con el suave movimiento de su pecho. Supongo que era algo que me había pasado casi veinte años queriendo sentir. En aquel momento tuve ganas de fundirme en esa hermosa mujer. Me pasó los dedos por el pelo y me dio un beso en la cabeza.

—¿Has cargado con la culpabilidad todos estos años?

—Mi madre me culpó de matar a Tommy. Culpó a mi padre por haber comprado el arma. Mi padre dijo que era culpa suya. Yo pensaba que era mía. Cuando llegó la siguiente Navidad, mi padre se quitó la vida con el rifle que le había comprado a mi hermano.

—Lo siento mucho.

—Mi madre nunca me perdonó, por ninguna de las dos muertes, y yo tampoco me he perdonado nunca. Y entonces, ayer... —moví la cabeza para mirarla a los ojos—. Ayer Collin vio a Tommy. Habló conmigo.

Por un momento se quedó sin habla.

—¿Qué te dijo?

—Me dijo que dejara de lamentarme. Y que el camino hacia la libertad pasaba por liberar a mi madre. —Tragué saliva—. Tengo que verla. ¿Estarás bien si te dejo un tiempo sola?

—Por supuesto.

—He pensado que podría ir mañana después del trabajo.

Me frotó suavemente la nuca y volvió a atraerme hacia sí.

—¡Es tan liberador decirte quién soy en realidad! Nunca hubiera creído que pudieras seguir queriéndome.

Addison me dio un beso en la frente.

—Te quiero aún más porque te conozco mejor. Quiero que veas lo que para mí es tan evidente. Lo encantador que eres.

Cerré los ojos y me abandoné al calor de su amor.

CAPÍTULO

Treinta y cinco

El amor, al igual que el perdón,
a menudo se encuentra cuando se confiesa.

DIARIO DE NATHAN HURST

Addison y yo regresamos al hotel poco antes de medianoche. Miche estaba sentada en el sofá leyendo una novela.

—¿Qué tal se han portado? —preguntó Addison.

—Estupendamente. Tienes unos hijos muy ricos.

—Gracias por cuidar de ellos.

—El placer ha sido mío. Y así no he tenido que quedarme en casa escuchando a mi marido y sus amigos competir por la dominación del mundo. He salido ganando por partida doble. —Miche se volvió hacia mí—. ¿Vas a venir mañana?

—Es lo que tengo pensado. ¿Qué tal está Stayner?

—Paranoico. Hoy me ha preguntado dos veces de qué estabas enfermo.

—De modo que todo está como siempre. Te acompañaré fuera.

La tomé del brazo para cruzar el aparcamiento helado hasta su coche.

—Dime, ¿qué va a hacer Addison? —preguntó Miche.

—No estoy seguro. Pero tengo la sensación de que todo está avanzando hacia algún tipo de resolución.

—¿Eso es bueno o es malo?

—Esperemos que sea para bien.

Nos detuvimos junto a su coche.

—Así pues, ¿estás enamorado? —preguntó Miche.

—Sí.

—Se te nota. Tienes una energía distinta.

Abrí la puerta del coche.

—Dame la rasqueta y te limpiaré los cristales de las ventanas.

Miche subió al coche y me pasó la rasqueta de plástico. Encendió el motor y la calefacción mientras yo le quitaba el hielo de los cristales. Cuando terminé abrí la puerta del maletero y eché la rasqueta dentro.

—Nos vemos mañana.

—Esa mujer tiene suerte de tenerte, ¿sabes?

Me limité a sonreírle.

—Buenas noches, Miche.

—Buenas noches, jefe.

CAPÍTULO

Treinta y seis

Stayner me despidió.
O quizá sólo me empujó hasta el borde
del precipicio y yo opté por saltar.

DIARIO DE NATHAN HURST

Cuando me desperté a la mañana siguiente, la única que estaba levantada era Elizabeth. Estaba sentada a la mesa de la cocina leyendo una caja de cereales Cap'n Crunch. Nuestra conversación fue como sigue:

—Buenos días, señor Hurst.

—Buenos días, Elizabeth.

—¿Cómo ha dormido?

—He dormido bien, gracias. ¿Qué tal has dormido tú?

—He dormido bien, gracias. Collin y mamá todavía duermen. ¿Puede llevarme a montar en trineo?

—La verdad es que hoy tengo que ir a trabajar.

—Entonces, ¿puede hacerme una tostada con canela?

—Eso creo que sí puedo hacerlo.

—Con mucha canela, por favor.

Me costó tres intentos darle el tono adecuado a la tostada y salí para el trabajo con quince minutos de retraso. Miche me llamó por el camino.

—Una advertencia. Stayner está hecho una furia. Dice que quiere verte el segundo exacto en que llegues, no el minuto, sino el segundo.

—Gracias por avisarme.

—Te guardo las espaldas.

Me pregunté por qué estaría tan alterado. Sí, no fui a Louisville, pero seguimos el caso con el encargado de la tienda y organizamos un arresto. Además, era mi primer tropiezo en cuatro años. Aparqué el coche y subí apresuradamente a la oficina.

Miche hizo una mueca al verme.

—Buena suerte —me dijo en tono grave.

—¿La necesito?

Me dirigí al despacho de Stayner. Martsie me sonrió, pero había algo desagradable en ello.

—¿Está Larry?

—Sí. Le recibirá en un minuto.

Me senté a la puerta de su despacho y cogí un ejemplar de la revista de MusicWorld. Antes de que pudiera decidirme por un artículo, sonó el teléfono de Martsie.

—Sí, señor —colgó. La sonrisa fingida había desaparecido y de repente me sentí como un acusado ante un jurado ceñudo—. El señor Stayner le recibirá ahora.

No había duda de que Stayner estaba de mal humor. Antes de que pudiera sentarme siquiera me espetó:

—¿Dónde ha estado?

—Lo siento. Me han surgido unas cuestiones personales.

—Bien, pues yo también tengo unas cuantas cuestiones con respecto a su desempeño reciente. Hace dos semanas dejó que una empleada de Filadelfia se librara de la acusación de robo. Se desentiende de un arresto en Louisville y luego falta una semana en la temporada de más trabajo. Ahora me entero de que está utilizando a su secretaria como ayuda de cámara. ¿Y lo único que sabe decir es que tenía que resolver cuestiones personales? —Me miró por encima de las gafas—. Es intolerable. Voy a tener que despedirle.

—¿Bromea?

—¿Le parece que estoy bromeando?

Entonces sí que me enojé.

—Usted sabe que he trabajado cientos de horas extra sin cobrarlas e incluso con mi *desempeño reciente* mi tasa de rendimiento sigue siendo la más alta de la oficina. ¿Y ahora que falto unos días me despide?

—¿Dónde ha estado?

—Tenía que ocuparme de unas cuestiones personales.

—He oído que ha estado cuidando de ese niño de las noticias, ¿es cierto?

—Sí. He estado ayudando a su madre.

—Me refiero a si es cierto que puede curar.

Intenté discernir qué se proponía con esa pregunta.

—¿Por qué?

—Se me ocurre una idea; le propongo un trato. Usted lo trae por la oficina y veremos si podemos dejar que conserve su trabajo.

—¿Lo traigo por la oficina o lo traigo para que le solucione el problema de espalda?

No respondió inmediatamente. Me pregunté cómo se le habría ocurrido pensar que no lo calaría.

—Mientras venga…

—No funciona así. El niño está muy enfermo. Cada vez que cura a alguien empeora.

—Siendo así me imagino que tiene usted un problema.

Caminé hacia la puerta y me di la vuelta.

—¿Quiere que ponga en peligro a un niño pequeño para conservar mi trabajo? No soy yo quien tiene un problema.

⊠

Al volver a mi despacho me alegré de que Miche no estuviera en su mesa, no estaba de humor para darle parte del encontronazo. Empecé a vaciar los cajones de inmediato en un archivador de cartón. Cuando llevaba cinco minutos recogiendo mis cosas, entró Miche.

—¿Qué estás haciendo?

—Lo dejo.

—¿Qué dejas?

—Mi trabajo.

Se acercó a mí y retiró la caja.

—No puedes abandonarme. Somos un equipo.

—Stayner me ha dado un ultimátum. O Collin le arregla la espalda o me despide. De manera que me voy.

Miche se puso colorada.

—Ese asqueroso. Voy a…

—Tú no vas a hacer nada. No hay razón para que pierdas tu trabajo.

—No puedes irte.

—No tengo alternativa.

—Eso no es cierto. Esta empresa te debe mucho. —Su voz se suavizó—. Yo no quiero que te vayas.

Me acerqué a ella y la abracé.

—Eres lo mejor que me ha pasado desde que llegué aquí. Eso no lo cambia nada. Y si algún día me caso, serás mi testigo o como quiera que se llame eso.

La rabia venció a la tristeza.

—Esto no se acaba aquí —dijo—. Voy a hacer que recuperes tu empleo.

—¿Y cómo vas a hacerlo?

—Tengo influencia.

—Influencia —dije al tiempo que asentía con la cabeza—. ¿Podrías devolverme la caja, por favor?

Miche soltó la caja y empecé a llenarla de nuevo.

—Voy a acercarme a Pocatello para ver a mi madre. Te llamaré cuando regrese.

—Si arreglo las cosas, ¿te quedarás?

—¿Qué quieres decir?

—Si logro que Stayner se disculpe por ser un cerdo y te ofrezca otra vez el empleo, ¿te quedarás? —su lealtad resultaba enternecedora aunque ingenua.

Dejé de meter cosas en la caja.

—Si logras que Stayner me pida que vuelva, me quedaré.

—Te tomo la palabra —dijo Miche, y salió del despacho.

CAPÍTULO

Treinta y siete

El miedo ha causado más castigo
del que nunca ha infligido la justicia.

DIARIO DE NATHAN HURST

Ni siquiera mi detallada descripción del tumulto del día anterior podía haber preparado a Addison para lo que vio cuando pasó en coche por su calle. La multitud que rodeaba su casa todavía era más numerosa. Había un coche patrulla en el camino de entrada a su casa, aparcado de espaldas a la calle. Un agente salió de dicho vehículo y retiró la cinta para que Addison pudiera entrar.

El gentío del día anterior tenía una nueva incorporación: un creciente número de *paparazzi*. Varios fotógrafos y cámaras se abalanzaron sobre el coche de Addison cuando lo metió en el camino de entrada. Ella abrió la puerta del garaje con el mando a distancia, entró directamente y no bajó del coche hasta que la puerta se hubo cerrado tras ella. Al entrar en la cocina un agente salió a su encuentro.

—Agente Robertson —dijo para presentarse.

Addison lo reconoció del primer día del asedio.

—Gracias por vigilar mi casa.

El policía sonrió.

—Esto es demasiado, ¿verdad? Se nota que es Navidad con tanto pandero como hay ahí afuera. —Se rió de su propia broma—. Creí que a estas alturas ya se habrían marchado. Pero no dejan de venir chiflados.

—¿No pueden obligarles a marcharse? —preguntó Addison.

—Tienen el derecho constitucional de reunirse pacíficamente. Siempre y cuando no entren en su propiedad o supongan algún peligro, no podemos hacer nada.

—¿Y yo no tengo derecho a la intimidad?

—Se ha convertido en un personaje público. En las puertas de los domicilios de las estrellas de cine siempre hay gente vendiendo recuerdos, mapas, muñecos cabezones...; todo el tinglado.

Addison se sentó en el sofá y se frotó las sienes.

—Sólo queremos recuperar nuestras vidas.

—Iba a decirle que su ex marido pasó ayer por aquí. Dijo que tenía visita con los niños. Espero que no le importe, pero le dije dónde se alojaba.

Addison soltó un gruñido.

En aquel preciso momento otro de los agentes de policía entró por la puerta principal.

—Señora Park, aquí hay un hombre que dice que es su pastor. ¿El pastor Tim?

—¡Oh, gracias a Dios! Déjele entrar.

El agente abrió más la puerta.

—Puede pasar, pastor.

Entró un hombre de mediana edad y cabello cano con un sombrero de fieltro marrón y un abrigo de *tweed*. Traía un pastel de frutas con nueces.

El agente Roberston sonrió al ver el pastel.

—Les dejaré solos —salió fuera.

El hombre saludó a Addison con una sonrisa:

—Hola, Addy.

—Pastor Tim, me alegro mucho de que haya venido. Es de lo más oportuno. Acabo de llegar, pasé un momento a recoger algunas cosas.

—La oportunidad la dicta el Señor, querida. —Le dio un abrazo—. ¿Cómo estáis?

—Sobrevivimos.

—Sin duda es mejor que la alternativa. —Le entregó el regalo a Addison—. Denise te manda su famoso pastel. Para ella «apacentar la grey de Dios» significa alimentarla.

—Dele las gracias de mi parte. ¿Tiene tiempo para sentarse un rato?

—Me encantaría —tomó asiento en el sofá. Se quitó el sombrero y lo dejó en el regazo. Addison se sentó en el otro extremo del sofá.

—¿Le apetece beber algo?

—No, estoy bien. Gracias.

—Lamento que no acudiéramos al servicio del domingo pasado. Podría decirse que nos estábamos escondiendo.

—No te preocupes. Probablemente fuera lo mejor.

—¿Y eso por qué?

—No creerías la cantidad de llamadas que he recibido sobre tu hijo.

—¿Sobre Collin? ¿Por qué?

—La mayoría son de personas que quieren saber si pueden ayudar de alguna manera, por supuesto, pero hay algunos que tienen miedo.

Addison se erizó.

—Eso es ridículo. ¿Por qué iban a tener miedo de Collin?

—A algunas de esas personas les preocupa que su poder provenga del diablo.

—¿Cómo podría creer alguien una cosa así?

—Te sorprenderías, Addy. La gente es muy rara en lo que se refiere al mundo espiritual. Se sienten cómodos con los milagros sobre el papel, pero si hoy les muestras una zarza ardiendo saldrán a toda prisa en busca de un extintor. —El pastor Tim meneó la cabeza—. Pero la verdad es que los que más me preocupan no son precisamente los que le tienen miedo a Collin.

Addison lo miró con desconcierto.

—¿Quienes entonces?

—¿Cómo te lo diría? —El pastor adoptó el mismo porte grave que en un sermón dominical—. A veces la gente olvida que la fe precede al milagro. Ellos dicen: «Dame fuego y entonces cortaré un poco de leña». Son esas personas que siempre están buscando una señal sin que ésta vaya acompañada de ninguna razón o fe. Collin es de ese tipo de milagros. Hay gente, en nuestra propia congregación, que adoraría a tu hijo.

—¿Adorar a Collin? Pero si sólo es un niño pequeño.

—También lo fue Jesús una vez. —Juntó las manos—. Si lo que he leído es cierto, tu hijo tiene un don muy poderoso, uno de los dones que tenía Jesucristo. Es una responsabilidad enorme, sobre todo para un niño. Si Jesús siempre advertía a aquellos que curaba de que no se lo dijeran a nadie era por una razón: no quería que la gente lo siguiera por un motivo equivocado. Sabía que la naturaleza humana es tal que la gente lo seguiría sólo para que los curara y no por sus enseñanzas o rectitud. La cura en la que Dios estaba más interesado era en la del espíritu. —Frunció el ceño—. Me preocupa cómo podrían tratar a tu hijo.

—¿Qué se supone que tenemos que hacer?

—Ojalá supiera la respuesta. De momento puede que lo mejor sea que no traigas a Collin a la iglesia durante una temporada. Al menos hasta que las cosas se calmen.

—Pero a él le encanta ir a la iglesia.

—Lo sé. Es un buen chico. No quiero que le ocurra nada malo.

—Pero ¿y si las cosas no se calman? ¿Y si todo empeora?

El pastor arrugó el entrecejo.

—No lo sé. Supongo que cruzaremos ese puente cuando lleguemos a él.

Addison bajó la mirada.

—Lo siento, Addy. No era mi intención hacer más pesada tu carga. ¿Qué puedo hacer para ayudarte? ¿Necesitas un sitio donde alojarte?

—Es muy amable por su parte, pastor, pero estaremos bien. Gracias.

—No me las des, no he hecho nada, aparte de traerte un pastel. Y mucha gente no lo consideraría un detalle demasiado amistoso. —Se puso de pie—. Me marcho. ¿Tienes el número de mi teléfono móvil?

—Sí.

—Si decidís venir a la iglesia, yo estaré allí con vosotros.

—Sé que lo hará.

Addison lo acompañó hasta la puerta y lo abrazó.

—Gracias por venir.

—Cuídate.

Addison cerró la puerta y rompió a llorar.

CAPÍTULO

Treinta y ocho

No hay mayor paradoja que el interés personal.

DIARIO DE NATHAN HURST

Miche entró en el despacho de Stayner sin que nadie la invitara. Estaba hablando por teléfono y tapó el micrófono.

—Discúlpame.

Miche no se movió.

Él la miró, divertido por la insolencia de la mujer.

—Tendré que volver a llamarte. —Colgó el auricular—. Y bien, señora Checketts, ¿debo entender que tiene pensado marcharse con el señor Hurst?

—¿Cómo se atreve a despedir a Nate? Es el mejor empleado que tiene. Nunca hace vacaciones y atrapa a más ladrones que cualquiera de sus predecesores. Lo va a despedir porque él no quiere comprometer al niño al que está protegiendo. La dirección de la empresa va a enterarse de esto.

—Lo voy a despedir por mala conducta y abuso de autoridad, lo cual he documentado y presentado al departamento de recursos humanos. Y también acepto su renuncia.

—Debería saber que voy a presentar una demanda contra usted por acoso sexual.

Él meneó la cabeza con cinismo.

—¿Me amenaza con eso? ¿No se le podría haber ocurrido nada mejor?

—Tengo pruebas que corroboran su comportamiento. Muchas.

—¿Que lo corroboran? —repuso él—. Le gustan las palabras grandilocuentes, ¿verdad?

Miche se dirigió a la puerta y le pidió a Martsie que entrara.

Stayner le dirigió una mirada fulminante a su secretaria.

—Debería saber que acabo de despedir a la señora Checketts y que voy a despedir a todo aquel que se amotine con ella. Voy a darle la oportunidad de dar media vuelta y salir de aquí.

Martsie se cruzó de brazos.

—Señor Stayner, puedo garantizarle que cuando en recursos humanos se enteren de la excursión de fin de semana a la que me invitó o de la lencería que me compró el día de la Secretaria Ejecutiva, va a ser usted quien tenga que buscar otro trabajo.

—Esto son calumnias.

—Ésta sí que es una palabra grandilocuente —comentó Miche.

—He llevado un diario, Larry —continuó Martsie—. Y también lo han hecho muchas otras mujeres que trabajan aquí. Si le hemos puesto el apodo de Manazas es por algo. Entre todas hemos reunido más de cuarenta situaciones de acoso. Debería saber que tengo un archivo con unos correos electrónicos muy especiales que estoy segura que interesarán a los abogados de la empresa. Y a su esposa también. Lo único que tengo que hacer es darle a «ENVIAR» y empezarán los fuegos artificiales.

—¿Recuerda a Quinn, del departamento de adquisiciones? —le preguntó Miche—. Y a su lado él parecía un monje.

—¡Esto es extorsión!

—Lo estamos amenazando, ¿vale? —Miche se volvió a mirar a Martsie—. Yo digo que lo demandemos y que sea lo que Dios quiera. De todos modos, apuesto a que la dirección le dará el empleo de Larry a Nate. —Se volvió nuevamente hacia Stayner—. En cualquier caso, de lo que sí estoy segura es de que usted se irá a la calle. Tendrá suerte si consigue otro puesto ejecutivo con esta mancha en su historial.

Stayner se las quedó mirando con una expresión que era una mezcla de furia y miedo.

—¿Qué quieren?

—En primer lugar, que el acoso cese de inmediato —respondió Miche—. En cuanto tropiece siquiera con alguna de nosotras, el trato habrá terminado. En segundo lugar, escribirá una carta de encomio para Nate. Y, en tercer lugar, le pedirá disculpas, hará que acepte de nuevo el empleo y le dará unos días libres por su comportamiento ejemplar. Y será mejor que sea convincente porque si él no acepta volver al trabajo no hay trato.

—No puedo obligarle a hacerlo.

—En tal caso, espero que sea muy, muy persuasivo.

—¿Cuántos días libres? —preguntó Stayner.

—Hasta Año Nuevo.

—De todas formas ya tenemos vacaciones por Navidad —comentó Martsie.

—Cierto —corroboró Miche—. Dele hasta el siete de enero.

El hombre fue pasando la mirada de una a otra y al final la posó en Martsie.

—No puedo creer que esté haciendo esto.

—No voy a volver a mentirle a su esposa, Larry. Y esas partidas de *raquetbol* de los miércoles no engañan a nadie. Todo el mundo sabe lo de Cheryl de contabilidad.

—Así pues, ¿qué va a ser? —le preguntó Miche—. La decisión es suya.

Stayner volvió a acomodarse en su silla.

—Creo que ustedes, señoras, ya han decidido por mí.

CAPÍTULO

Treinta y nueve

El perdón no nos obliga a cerrar los ojos,
sino más bien a abrirlos de verdad.

DIARIO DE NATHAN HURST

Todo el viaje a Pocatello resultó distinto en aquella ocasión. Hacía apenas dos semanas, yendo por la misma carretera, había lamentado la monotonía de mi vida. Supongo que había tentado al destino. En aquellos momentos, mientras me dirigía de nuevo a Idaho, mi vida estaba toda alborotada. Y mi carrera también. Todo aquello tenía algo de temible a la vez que de esperanzador. Lo más extraño de mi viaje en coche fue que tenía la sospecha de que no estaba solo. Me estuve preguntando si Tommy estaba sentado en el asiento del acompañante, a mi lado. Le hice saber que si estaba allí, me alegraba de tener su compañía. Iba a necesitar su ayuda, pues no sabía si podría hacer lo que tenía que hacer cuando llegara el momento. Si es que llegaba. Mi madre llevaba años mentalmente ausente. ¿Y si ya era demasiado tarde?

La encontré apoltronada en la silla de ruedas en la sala multiuso con una media docena de otros residentes que estaban mirando *La ruleta de la fortuna*. Me acuclillé junto a la silla de ruedas.

—Mamá, soy Nathan.

Ella siguió mirando al frente, los ojos clavados en el televisor.

—¿Hay una be, Pat? —dijo.

—Tengo que hablar contigo, mamá.

Ella me miró sin comprender.

—¿Dónde has estado, Tommy?

—Voy a llevarte a tu habitación para que podamos hablar —cogí la silla por los asideros, y cuando empecé a empujarla, mi madre soltó un penetrante gemido agudo.

—Está bien —dije—. Esperaremos.

—¡Cállense ahí atrás! —protestó un hombre—. No oigo a Sajack.

Me senté en el brazo de una butaca de vinilo que había al lado de mi madre.

—Me gusta hacerla girar —dijo mi madre.

Era más divertido ver a los residentes que mirar el programa; eran mucho más apasionados que los concursantes de la pantalla. Uno de los hombres no dejaba de repetir: «Da la vuelta a esas letras, Vanna Va-Room» y «¿Qué le ocurrió a Chuck Woolery?» Cada vez que destapaban una letra una mujer decía: «Esta Vanna es sencillamente encantadora». Cuando el programa estaba a punto de terminar, una enfermera se acercó a mi madre.

—Candace, es la hora del medicamento para la tensión.

Le metió la pastilla en la boca y le guió la mano para que se llevara a los labios un vasito de papel lleno de agua. Mi madre se atragantó un poco.

—Muy bien, Candace —dijo la enfermera, y salió de la sala. Inmediatamente después de que se fuera, uno de los internos más dinámicos confiscó el mando a distancia del televisor y cambió de canal para poner *Los vigilantes de la playa*. Hubo fuertes protestas y aproveché aquella distracción para sacar a mi madre de la sala.

Empujé la silla de ruedas por el pasillo embaldosado mientras iba recorriendo con la mirada los números metálicos atornillados a las puertas hasta que llegué al dormitorio de mi madre. Era una habitación cuadrada con muebles de madera de roble que parecían tan desgastados como los internos. Dentro había otra mujer que emitía unos fuertes ronquidos; supuse que la compañera de habitación de mi madre. Corrí la cortina de tela que colgaba de un riel colocado en el techo y que dividía la habitación. Entonces me senté al borde de la cama. Mi madre sólo parecía remotamente consciente del cambio de escenario.

—Mamá, soy yo, Nathan.

Pasó casi un minuto y entonces dijo:

—¿Dónde está Tommy?

Me incliné hacia adelante y miré a mi madre a los ojos.

—Tommy está muerto, mamá.

Ella permaneció impertérrita.

—Tommy está muerto —repetí—. ¿Lo entiendes? Tommy lleva muerto veinte años.

Ella no se movió, sólo hizo rechinar sus prótesis dentales.

—El día de Navidad Tommy y yo estábamos jugando con su arma nueva y ésta se disparó. Tú nos culpaste a papá y a mí de lo ocurrido. Creo que también te culpaste a ti misma por el suicidio de papá. Pero papá tomó una decisión... y esa decisión fue suya, no nuestra. Ya es hora de acabar con la culpa. —Pegué mi rostro al suyo—. Mamá, Tommy vino a mí. Me dijo que ya es hora de dejar de lamentarse.

Observé su semblante, pero ella no mostró reacción alguna. Tal vez fuera, en efecto, demasiado tarde. Quizá todo aquello sólo me ayudara a mí. De ser así, aún quedaban cosas por decir.

—¿Sabes cuántas veces quise oírte decir que me seguías queriendo? Crecí odiándote por negarme eso. Pero ya estoy cansado, mamá. Estoy cansado de aferrarme a ese resentimiento. Quiero que sepas que te perdono. Y espero que tú también puedas perdonarme.

Ella bajó la vista al suelo.

—Me gustaría comprar una vocal —dijo.

—Está bien, mamá. Está bien. —Rodeé a mi madre con el brazo y apoyé la cabeza en su hombro—. Lo siento, mamá. Por todo lo que perdimos. Aunque sea demasiado tarde.

Mi madre movió los labios, pero fue un movimiento sin voz. Clavó sus ojos en los míos y masculló.

—¿Has dicho algo, mamá?

Acerqué la oreja a su boca y noté sus labios en la cara por primera vez desde que era un niño. Entonces lo oí. Un sonido lento y distorsionado, pero aun así comprensible.

—Lo siento, Natie.

CAPÍTULO

Cuarenta

Todos los milagros son una expresión de amor.
Un curso sobre milagros.

DIARIO DE NATHAN HURST

Addison se estaba cepillando los dientes cuando oyó que llamaban a la puerta. Se enjuagó la boca y fue al salón a abrir. Steve estaba en el umbral.

—Buenos días, Addy.

—¿Qué estás haciendo aquí?

—Vine a visitar a mis hijos.

Addison miró detrás de él y vio a Franzen de pie con un depósito de oxígeno.

—Ah, no. Él no va a entrar.

Steve se dio la vuelta y sonrió con seguridad a Franzen.

—Sólo estaremos un minuto. —Obligó a Addison a apartarse y entró en la habitación—. No pierdas la calma, Addy.

—No podéis entrar aquí.

Steve la agarró del brazo y la llevó hasta la cocina.

Addison forcejeó intentando librarse de sus manos.

—¡Suéltame!

—No te soltaré hasta que te tranquilices.

—No, Steve, ésta es mi habitación y ese hombre no puede entrar aquí.

—Baja la voz.

—No.

—No puedes mantenerme alejado de él. También es mi hijo.

—No intento mantenerte alejado. Pero ese hombre no puede verle. Ahora mismo Collin está muy enfermo.

—No puedes detenerme, Addy.

—Voy a llamar a la policía.

—Fue la policía quien me dijo dónde estabas. —La metió en la alacena, que estaba abierta—. Y ahora tranquilízate.

—Basta. Me estás haciendo daño.

La empujó contra el estante de la pared.

—He dicho que no alces la voz.

—No, Steve. Por favor.

Él tenía el rostro tenso y colorado.

—¿Tienes idea de lo que esto significa? Tres millones de dólares. Eso son muchos trasplantes de corazón, nena. ¿De dónde crees que iba a salir el dinero? Pero, claro, tú no piensas en esas cosas, ¿verdad? Mientras sigas teniendo la pensión alimenticia…

—Me da igual, como si son mil millones.

—Por supuesto que te da igual. Tú no tienes que pagar nada. Lo pago yo. Aquí el fracaso no es una opción. Me lo he jugado todo por esto.

—Curar a la gente le quita la vida. No voy a consentirlo, Steve. Está muy enfermo. Esto podría matarle.

—A menos que se trate de alguien a quien tú quieras que cure. No me respondiste, Addy. ¿Qué pasó con tu lupus? ¿Tienes miedo de que no le quede bastante jugo para ti? ¿Eres tú la que está matando a nuestro hijo?

—Yo no le pedí que me curara. No sabía que eso le haría daño.

—¿Crees que yo le haría daño a mi propio hijo? —dijo Steve.

—Ya se lo has hecho.

Steve lanzó un resoplido de desdén.

—Harías todo lo posible para vengarte de mí, ¿verdad? Pero esto no vas a quitármelo.

—Te estoy diciendo la verdad.

Volvió a empujarla, con mucha más fuerza esta vez, y Addison se golpeó la cabeza contra un estante y se hizo un corte en la oreja. Un chorro de sangre le bajó por la mejilla. Se llevó la mano al oído y la puerta se cerró de golpe. Steve cogió una silla metálica de la mesa de la cocina y la colocó bajo el pomo. Addison empujó la puerta, pero no pudo moverla.

—Déjame salir de aquí, Steve. Déjame salir.

—Cuando hayamos terminado.

Steve volvió a la sala. Franzen, que había entrado durante la pelea y se había sentado en el sofá, lo miró con expresión sombría.

—¿Problemas?

Steve le indicó que no con la cabeza.

—Ex esposas. No puedes vivir con ellas. No puedes matarlas y echar sus lamentables cuerpos a las ratas.

Franzen sonrió.

—Conozco la sensación.

—Creo que mi hijo está ahí detrás. —Los dos oyeron los golpes que Addison daba a la puerta—. Esto no puede ser —dijo Steve. Encendió el televisor de la sala y subió el volumen lo suficiente para ahogar el ruido que hacía Addison.

—¿La ha encerrado en el armario? —preguntó Franzen.

—Me pareció el mejor sitio para ella.

El hombre se rió.

—¡Así se hace!

Steve lo condujo al dormitorio y abrió la puerta. La luz estaba apagada, pero las persianas se hallaban parcialmente levantadas y el sol de verano iluminaba la habitación. Collin estaba tumbado en la cama con los ojos abiertos.

—Eh, amigo, soy yo.

El niño lo miró.

—¿Papá?

—Sí. ¿Cómo estás?

—¿Dónde has estado?

—He estado viajando mucho. ¿No te lo dijo tu madre?

—No.

—Bueno, estoy seguro de que tenía intención de contártelo —dijo Steve. El pequeño le dirigió una mirada inquieta al desconocido que estaba de pie en su habitación—. Collin, quiero que conozcas a una persona. Éste es el señor Franzen. Es amigo mío y está muy enfermo. Quiero que hagas que se ponga mejor.

Collin pasó rápidamente la mirada de uno a otro.

—¿Dónde está mamá?

—En la cocina. Vendrá dentro de un minuto. De manera que empieza y haz que se ponga mejor.

—Tengo que preguntárselo a mamá.

—No hace falta que se lo preguntes. Soy tu padre, y si te digo que está bien, es que está bien.

—¡Collin! —chilló Addison. Retrocedió todo lo posible y se arrojó con todas sus fuerzas contra la puerta de la despensa sin resultado, aparte de una aguda punzada de dolor que le recorrió el brazo desde el hombro—. ¡Collin! ¡No toques a ese hombre! ¡No lo toques!

Collin no oía a su madre, pero sabía que algo no iba bien. El color que rodeaba a aquellos dos hombres era especialmente oscuro y turbio y eso lo asustó. La ternura de la voz de su padre no se correspondía con lo que él veía.

—Vamos, hijo. No pasa nada.

El anciano se acercó a la cama cojeando, cargando con el depósito de oxígeno.

—Hola, hijo. Me llamo Riley. —Se sentó al borde de la silla que había junto a la cama de Collin—. ¿Cuántos años tienes, hijo? ¿Nueve, diez?

—Nueve.

—Es una buena edad. ¡Ojalá volviera a tener nueve años! Tengo un nieto de tu misma edad más o menos. Juega mucho al béisbol. ¿A ti te gusta el béisbol?

—No corro muy bien.

—No pasa nada. Tú puedes hacer algo mucho, mucho mejor. Algo mucho más especial. Tu padre dice que puedes hacer que la gente se encuentre mejor. ¿Es verdad?

Collin no se fiaba de la pregunta.

—Contéstale —le dijo Steve con severidad.

El niño se sobresaltó por el tono de voz de su padre.

—Sí, señor.

Franzen se volvió a mirar a Steve.

—Basta —le espetó. Se volvió nuevamente hacia Collin—. Lo siento. No volverá a pasar. —Sonrió de pronto—. Se acerca Navidad. Apuesto a que ya empiezas a estar nervioso.

Collin lo miró con cara de aburrimiento.

—Si pudieras tener cualquier cosa de este mundo, lo que quisieras, una Xbox, un *kart*, una piscina en tu jardín; si pudieras tenerlo con tan sólo nombrarlo, ¿qué pedirías?

—No quiero nada —contestó Collin.

En un primer momento la respuesta del niño pareció desconcertar a Franzen, pero luego empezó a asentir con la cabeza.

—Creo que ya sé cuál es el problema. —Unas arrugas de preocupación surcaron la frente del hombre—. Deja que te haga una pregunta. Lamento preguntarte esto, porque los niños no tendrían que pensar en estas cosas, pero ¿alguna vez tu madre se preocupa por el dinero?

Collin movió la cabeza en señal de afirmación.

—¿Se preocupa mucho por el dinero? Como cuando hay una factura y no puede pagarla.

El pequeño volvió a asentir.

—A veces, cuando queremos una cosa y vale demasiado.

—Es una mala sensación, ¿verdad? Sé perfectamente lo que se siente. Mi madre también se preocupaba. Y eso siempre me hizo sentir mal por dentro. A veces incluso me daba dolor de estómago. ¿A ti te hace sentir mal por dentro?

—Sí, señor.

—¿Sabes, Collin? Cuesta mucho dinero criar a los hijos. Hay que comprar comida, ropa, zapatos, pagar la educación… Claro que lo más caro son los gastos médicos, como doctores, hospitales y medicinas. Eso cuesta mucho dinero, créeme. ¿Lo sabías?

Collin dijo que no con la cabeza y apartó la mirada, avergonzado. Se lo había imaginado, pero su madre nunca decía nada al respecto.

—Estoy seguro de que tu madre no iba a contarte una cosa así.

Ella no querría preocuparte. Las madres son así, siempre pendientes de sus hijos, ¿eh?

—Sí, señor.

—Pero los médicos y hospitales te dejan pelado, te lo garantizo. ¿Sabes que una pastilla puede costar más de cien dólares? No es culpa tuya, pero apuesto a que tu mamá se siente mal por eso a veces.

A Collin se le hizo un nudo en la garganta. Le entraron ganas de llorar. Franzen lo miró con comprensión.

—Salta a la vista que eres un buen chico, Collin. Apuesto a que tu madre te quiere mucho, ¿verdad?

—Sí, señor.

—¿Sabes una cosa? Yo puedo ayudar a tu madre. Deja que te cuente un secreto. —De pronto se acercó más a Collin, con lo que el niño se sintió más incómodo todavía. No le gustó su olor—. Soy un hombre muy rico, Collin. Tengo mucho dinero. Y puedo ayudar a tu madre. Eso te gustaría, ¿verdad?

El niño asintió.

—Pero no puedo hacerlo si estoy muy enfermo, ¿verdad? Y si me muero, pues, bueno, otra gente recibirá mi dinero. De modo que, dime, ¿tú quieres ayudar a tu madre?

—Sí, señor.

—Lo imaginaba. Voy a darte una oportunidad. Voy a quedarme aquí sentado y a dejar que me pongas mejor. Luego me encargaré de que cuiden de tu madre, te lo prometo. ¿Te parece bien?

Collin asintió con la cabeza, pero por lo demás no se movió.

—Ni siquiera sé cómo funciona esto. Tú sabes más que yo. ¿Tienes que tocarme? ¿O es como magia y tienes que pronunciar unas palabras especiales como Harry Potter?

—Toco y ya está.

—¿Importa dónde toques?

—No.

—De acuerdo. Me quedaré aquí sentado para que puedas alcanzarme —se inclinó parcialmente sobre la cama.

Collin lo miró y tragó saliva.

—Quieres hacerlo por tu madre, ¿no es verdad?

—Sí, señor.

Collin alargó la mano lentamente y tocó a Franzen en el hombro. El hombre respiró hondo y cerró los ojos. Al cabo de unos segundos Collin retiró la mano.

Steve miró a su cliente con expectación.

—¿Cómo te encuentras?

Franzen abrió los ojos.

—Igual.

—Tal vez tarda un poco en hacer efecto. —Miró a Collin—. ¿Tarda un poco?

El niño bajó la mirada.

—¿Tarda?

—No, señor.

—¿Lo has curado?

Collin meneó la cabeza.

—No.

—Cúralo, Collin. Es una orden.

El niño se echó a llorar.

—Lo he intentado.

—No lo intentes. Hazlo.

Elizabeth estaba en la otra habitación mirando la televisión cuando oyó gritar a Addison a través de la pared del dormitorio. Fue a buscarla.

—¡Mamá! —Entró en la cocina—. ¡Mamá!

Addison se pegó a la puerta.

—Elizabeth, soy mamá. Estoy aquí dentro. Abre la puerta.

—¿Mamá? —La pequeña se puso a cuatro patas y miró a través de la rendija de la puerta de la alacena—. ¿Por qué te has escondido aquí?

Addison se agachó y sintió un leve mareo súbito. Tenía un dolor punzante en la oreja.

—No puedo salir, Lizzy. ¿Qué hay contra la puerta?

—Una silla.

—¿Puedes moverla?

Elizabeth se puso de pie y empujó la silla.

—No.

A Addison se le ocurrió que lo más probable era que estuviera inclinada.

—Lizzy, ¿las patas delanteras de la silla están alzadas?

—Ajá.

—Agarra las patas delanteras de la silla y levántalas con todas tus fuerzas, todo lo arriba que puedas.

—Pero entonces se caerá la silla.

—No pasa nada, cariño. No te meterás en ningún lío.

—¿Prometido?

—Prometido. Hazlo, Lizzy. ¡Vamos!

En la habitación, Collin se inclinó hacia delante y tocó al hombre otra vez. Franzen cerró los ojos y se preparó. De nuevo, no ocurrió nada.

—¿Qué está pasando? —Franzen puso mala cara.

—¿Qué ocurre, Collin? —le preguntó Steve.

—No lo sé —le respondió el chico.

—Lo estás haciendo a propósito —declaró Steve alzando la voz.

—No, no es verdad.

En aquel preciso instante Addison irrumpió por la puerta.

—Aléjese de mi hijo —corrió junto a Collin y se interpuso entre él y Franzen, dándole un empujón a éste.

Steve empezó a acercarse a ella.

—Vas a pagar por esto.

—Ya he llamado a la policía. Están de camino.

—¿Qué vas a decirles? —le espetó Steve con petulancia—. ¿Que he venido a visitar a mi hijo?

—Les he contado lo que has hecho. Eres abogado, tú sabrás cuántas leyes has infringido. Lesiones. Retención ilícita.

—Yo no he tenido nada que ver con esto —dijo Franzen.

—Usted era cómplice. Van a arrestarlos a los dos.

El hombre agarró el oxígeno y empezó a retroceder hacia la puerta. Cruzó la mirada con Steve y le dijo:

—Voy a llamar al bufete. —Luego miró a Collin y le espetó—: Eres un fraude.

—Fuera de aquí —dijo Addison.

—Señor Franzen, esto no es más que un contratiempo. Todavía podemos hacer que funcione —dijo Steve bloqueando la entrada.

—Quítese de enmedio —apartó a Steve de un empujón y salió a trompicones.

Steve se volvió rápidamente hacia Addison.

—Lo has indispuesto contra mí. —Señaló a Collin con el dedo—. Voy a perder el trabajo por tu culpa.

Addison le dirigió una mirada furibunda.

—La policía viene hacia aquí y todavía estoy sangrando, de manera que a menos que quieras salir de aquí esposado, haz lo que se te da mejor y echa a correr.

—Me aseguraré de que te arrepientas —dijo, se dio media vuelta y se fue.

Collin se echó en brazos de su madre. Addison lo abrazó.

—¿Estás bien?

El niño rompió a llorar y ella lo estrechó con más fuerza.

—Lo siento, mamá. Lo intenté.

—No tienes que sentirlo. Lo hiciste todo bien.

De pronto el niño se apartó y se miró la mano. Estaba manchada de sangre.

—¿Qué te ha pasado en la oreja?

—Me golpeé contra un estante.

—¿Te lo hizo papá?

Addison quiso mentir, pero sabía que era inútil.

—Sí.

Collin levantó la mano y le tocó la oreja. La hemorragia y el dolor desaparecieron de inmediato.

Addison apoyó la mejilla en la cabeza de Collin.

—Oh, cariño, no me cures más, por favor.

—No puedo evitarlo.

Lo abrazó.

—Hiciste lo correcto. No tenías por qué curar a ese hombre tan horrible.

—Lo intenté, mamá. Él me dijo que te ayudaría si lo hacía. Pero no pude.

—¿No pudiste?

—No. Ese hombre no me gusta.

CAPÍTULO
Cuarenta y uno

Para avanzar, a veces debemos estar dispuestos a mirar atrás.

DIARIO DE NATHAN HURST

Pasé unos cuantos minutos más con mi madre y después empujé de nuevo su silla para volver a la sala. El golpe de Estado de *Los vigilantes de la playa* había sido sofocado y los residentes estaban absortos con satisfacción en *Jeopardy!*

Antes de marcharme le dije a mi madre que volvería a visitarla dentro de un par de semanas. No sé si retuvo mis palabras, pero yo esperaba que así fuera. Al salir oí que una mujer decía: «Este Trebek es un tipo muy apuesto».

Al sacar el coche del aparcamiento de la residencia tomé la decisión de visitar el lugar en el que viví de niño. No lo había visto desde el día en que me mudé, hacía más de una década. En aquel entonces juré que nunca volvería.

La casa se encontraba a tan sólo unos cincuenta kilómetros de la residencia. Al principio no la reconocí. Mi madre había mantenido el jardín perfectamente cuidado, con arriates de flores impresionantes, arbustos bien arreglados y árboles. Incluso en invierno, cuando el jardín estaba aletargado, reinaba el orden. Cuando yo tenía seis años le habían concedido el premio de jardinería que otorgaba el periódico local. Sacaron la foto de mi madre en el periódico y la obsequiaron con una cena para dos en un restaurante de la ciudad. Fue una ocasión de orgullo para todos nosotros.

En el centro del jardín, por entre un grupo de cardos cubiertos de nieve, se alzaba un cartel que tenía escrito «SE VENDE» con letras pintadas a mano. Los hierbajos asomaban por encima de la nieve sucia.

La pintura del revestimiento exterior de madera se había desconchado y los mosquiteros de las ventanas, que eran de los antiguos, de acero, estaban rotos y oxidados. Lo único que vagamente parecía seguir igual era el sicomoro del jardín delantero, en el que todavía quedaban algunas de las tablas que Tommy había clavado en el árbol para que pudiéramos trepar por él.

Aparqué el coche y empecé a caminar en torno a la casa con las manos hundidas en los bolsillos. A excepción del sicomoro, todo era más pequeño de lo que yo recordaba. El palacio en el que nací no era más que una caja de galletas. En el Eastside hay garajes que tienen más metros cuadrados que esa casa. Las cosas siempre parecen mucho más grandes cuando eres niño. Creo que esto puede aplicarse tanto al escenario como a los acontecimientos.

—Mira lo que han hecho con este sitio, Tommy —dije en voz alta.

De pronto abrió la puerta principal una mujer feúcha de ojos apagados que se escondió tras la contrapuerta de aluminio como si de un escudo se tratara.

—¿Puedo ayudarle en algo?

Me detuve.

—Perdone. Es que yo antes vivía aquí.

Me miró con recelo.

—Supongo que no me dejaría echar un vistazo dentro, ¿verdad?

—No.

—Entiendo. ¿Le importa si miro un poco por aquí fuera? Por los viejos tiempos.

Ella se ocultó un poco más detrás de la puerta.

—Preferiría que no lo hiciera.

«¡Como si hubiera algo que robar!»

—Me llamo Nathan Hurst. Nací en esta casa. He regresado a la ciudad para visitar a mi madre y se me ocurrió pasar por aquí.

—Nosotros sólo llevamos aquí tres años —apretó los labios y señaló al otro lado de la calle—. El hombre que vive en esa casa azul dijo que habían matado a alguien en ésta. Dijo que un niño le disparó a su hermano.

—¿Cuánto tiempo hace que la casa está en venta? —le pregunté.

—Un par de años.

—Yo no compartiría semejante notición con sus posibles clientes. La gente suele ser un poco aprensiva con estas cosas. Quizás eso ayude.

Ella se limitó a mirarme fijamente, sin saber cómo reaccionar.

—*Ciao* —me despedí. Ya había visto suficiente. La mujer desapareció tras la puerta principal.

Lo primero que hice al volver al coche fue llamar a Addison. No respondió. Yo no tenía ni idea de que estaba encerrada en un armario. Puse el coche en marcha y me dirigí de vuelta a casa. Cuando me aproximaba a la frontera entre Utah e Idaho, recibí una llamada de Stayner. Estuve a punto de no responder, pero me venció la curiosidad. De no ser porque vi el nombre en el identificador de llamadas, probablemente no hubiera reconocido su voz.

—¡Hola, Nate! ¿Qué tal?

Lo único que resultó más extraño que esta pregunta fue el tono de camaradería con que la hizo.

—Me ha despedido.

—Sí. Bueno, tengo que hablar con usted sobre eso. Estaba fuera de mis cabales.

—Pues no lo parecía.

—No, los que hablaron fueron los medicamentos que tomo. Además, acababa de hablar por teléfono con mi esposa. Ya sabe cómo me pone eso. Lo que importa es que no está despedido. Nunca lo estuvo. Nada de todo eso fue mi intención. Tenía razón en todo lo que dijo. Es nuestro mejor empleado. Es el Tiger Woods del departamento de seguridad de MusicWorld.

—Entonces, ¿no quiere que le lleve a Collin?

—No, por supuesto que no. Quiero decir que estaría bien tenerlo por ahí, pero no, no si eso va a hacerle daño. Creo que es fantástico que esté cuidando de ese niño. En realidad, me gustaría ayudar de alguna manera. De modo que le doy unos días libres. Tiene hasta el siete de enero para relajarse y ocuparse de sus cosas.

—¿Cobrando?

—Por supuesto.

—¿Y esto ha sido idea suya?

—¿De quién iba a ser si no?

No respondí a la pregunta.

—Es muy generoso por su parte.

—Soy un tipo generoso. Me lo voy a tomar como un sí y le veré el siete de enero. Que pase unas Navidades formidables y feliz Año Nuevo.

Colgó. Me moría por saber cómo lo había hecho Miche.

La llamé inmediatamente.

—¿Así que te ha llamado el Manazas? —dijo con orgullo.

—Un Manazas nuevo y mejorado.

Se echó a reír.

—Entonces, ¿te quedas?

—Hicimos un trato.

—Excelente.

—Pero tendrás que contarme cómo lo hiciste.

—No, ése es mi secreto.

—No lo sobornaste, ¿verdad?

—¡Cielos, no! Amenazarlo, tal vez, pero sobornarlo no. Ya te dije que tenía influencia.

—Gracias, Miche.

—Te guardo las espaldas, jefe.

Regresé al hotel poco después de las nueve. Me sorprendió encontrar sola a Elizabeth. Estaba tumbada boca abajo en el suelo de la sala haciendo un puzle.

—Hola.

—¿Dónde está tu madre?

—En su habitación, llorando.

Addison estaba hecha un ovillo en el suelo de mi dormitorio, tumbada en posición fetal, sollozando. Me arrodillé y la rodeé con los brazos.

—¿Qué ha pasado?

Me habló entre sollozos.

—Vino Steve. Intentó obligar a Collin a que curara a un hombre.

—Tienes sangre en la blusa.

—Me arrojó contra los estantes de la despensa.

Le retiré el pelo para examinar la herida, pero no vi ninguna.

—¿Por dónde sangras?

—Collin me curó.

—¿Él está bien?

—Está durmiendo. No curó a ese hombre.

—¿Dónde puedo encontrar a Steve?

—No, por favor, no vayas tras él. Ya llamé a la policía —se acurrucó contra mí—. No me dejes, por favor. Ya no puedo hacer esto sola.

Le di un beso en la cabeza.

—No te dejaré. Nunca. Te lo prometo.

CAPÍTULO

Cuarenta y dos

He oído decir que para entrar en el cielo debemos ser como niños.
Hasta esta noche no lo había comprendido.

DIARIO DE NATHAN HURST

Pasó más de media hora antes de que Addison empezara a calmarse. Cuando Elizabeth entró en la habitación, nosotros seguíamos tumbados en el suelo.

—Collin tiene problemas para respirar.

En los pocos segundos que tardamos en llegar al otro dormitorio, Collin había dejado de respirar del todo. Addison pegó el oído a su pecho y se volvió a mirarme con los ojos desmesuradamente abiertos de terror.

—Llama al 911 —me dijo y empezó inmediatamente la resucitación cardiopulmonar.

Cuando llegaron los sanitarios, los esfuerzos de Addison habían logrado que el corazón de Collin latiera débilmente. Ella subió a la ambulancia con el niño y yo fui tras ellos en coche con Elizabeth, rezando en silencio.

—¿Collin va a morirse? —me preguntó la pequeña con un dejo de miedo en la voz.

—No lo sé, cariño.

Yo no dejaba de preguntarme si había llegado el día que su abuelo había vaticinado.

Cuando la ambulancia llegó al Salt Lake Regional, la piel de Collin se había vuelto de un azul pálido. Tenía una intravenosa en el cuello, un catéter, una bolsa de suero, un oxímetro, parches en su pecho desnudo, un brazalete y una sonda nasogástrica; resultaba difícil ver al niño debajo de toda aquella parafernalia médica.

Se lo llevaron de inmediato a la unidad de cuidados intensivos. Elizabeth y yo nos reunimos con Addison en la sala de espera. Yo había llamado a Miche desde el coche y, aunque ya estaba en la cama, llegó en menos de una hora. Su gesto reflejaba nuestra preocupación.

—¿Cómo puedo ayudaros?

—¿Puedes cuidar de Elizabeth?

—Por supuesto. ¿Queréis que la lleve a casa?

La niña estaba en un rincón de la sala mirando un libro del doctor Seuss*. Aunque la niña no estaba lo suficientemente cerca como para poder oírnos, hablé en voz baja.

—Todavía no. Por si acaso… —No terminé la frase—. Quizá podrías llevarla a dar un paseo. Cualquier cosa que la distraiga.

—No hay problema. —Se acercó a Elizabeth—. Hola, Lizzy. ¿Quieres que vayamos a dar un paseo?

—¿Podemos comprarle un oso a Collin?

—Vamos a ver si encontramos una tienda donde vendan osos que todavía esté abierta.

Miche la tomó de la mano y salieron de la habitación.

Addison no dijo ni una palabra; se quedó allí sola, sentada con la cabeza gacha, rezando. No vimos a un médico hasta pasada la medianoche. Era una mujer joven chinoamericana. Llevaba el uniforme quirúrgico de color verde con la mascarilla atada alrededor del cuello.

---

* Seudónimo de Theodor Seuss Geisel, prolífico autor de literatura infantil, entre cuyas obras se cuentan *Un pez, dos peces, pez rojo, pez azul*, *El gato garabato*, *¡La de cosas que puedes pensar!*, *Trabalenguas de mareo*, *Horton escucha a quien*. (N. de la T.)

—¿Señora Park?

Addison se puso de pie.

—¿Sí?

—Soy la doctora Berg. Su hijo está estable. Hemos aumentado sus niveles de oxígeno. Tuvimos que hacerle una transfusión; con los tratamientos de quimioterapia no tenía suficientes glóbulos rojos para transportar el oxígeno.

—¿Pero ahora está bien?

—De momento, pero sólo es temporal. La insuficiencia cardíaca es inminente.

—¿Y un trasplante de corazón?

La doctora parecía afligida.

—Señora Park, su hijo no es un candidato para un trasplante. Fue excluido de la lista de receptores.

—¿Cómo dice?

—¿Su oncólogo no le habló de esto?

Addison empalideció.

—¿Qué van a hacer, dejarle morir sin más?

—Señora Park...

—Mi hijo arriesgó la vida para curar a otros. Y cuando es él quien necesita ayuda, ¿lo único que puede decirme es que no está en la lista de receptores?

—Lo siento. Sé cómo debe sentirse.

—¿Usted ha perdido a un hijo?

La doctora frunció el ceño.

—No, pero...

—Entonces no me diga que sabe cómo me siento.

—Lo siento mucho, pero esto es algo que está fuera de mis atribuciones. Tenemos que seguir unos protocolos muy estrictos. —Respiró hondo—. Tengo que preguntarle si estaría dispuesta a firmar una ONR.

Addison rompió a llorar.

—¿Qué es eso? —pregunté.

—Es una orden de no resucitar.

—¿Y si no la firma?

—Cada vez que el niño sufra una parada cardíaca llevaremos a cabo medidas heroicas hasta que éstas ya no surtan efecto. Sólo servirá para prolongar su dolor.

—Quiero ver a mi hijo —dijo Addison.

La doctora la miró.

—La acompañaré. Está sedado. Aún tardará un poco en recuperar la consciencia.

Tomamos el ascensor hasta el octavo piso sin mediar palabra y seguimos a la doctora hasta la UCI.

Collin estaba conectado a máquinas que monitorizaban una docena de funciones corporales. Addison se acercó a él y lo tocó.

—Collin.

El niño no respondió y ella le puso la mano sobre los ojos.

Permanecimos con él en la habitación. Al cabo de aproximadamente una hora fui a ver qué hacía Miche. Elizabeth estaba durmiendo en su regazo.

—¿Cómo va todo? —preguntó Miche en tono esperanzado.

—No muy bien. Necesita un trasplante de corazón. Pero lo han sacado de la lista de receptores.

—¿Por qué lo han hecho?

—Porque tiene cáncer.

—Lo siento mucho.

—Estamos esperando a que se despierte.

—¿Qué quieres que haga?

—¿Podrías quedarte un poco más? Podría ser que Lizzy no volviera a tener oportunidad de hablar con él.

A Miche se le llenaron los ojos de lágrimas.

—Claro que sí.

Regresé a la UCI. Addison y yo estuvimos allí otros cuarenta y cinco minutos antes de que entrara la doctora Berg. Comprobó las lecturas de la máquina que monitorizaba el pulso y el ritmo cardíaco de Collin y a continuación se acercó a nosotros.

—Señora Park, tengo una noticia sorprendente.

—¿Qué?

—No lo había visto nunca. Su hijo ha sido reincorporado a la lista. Recibirá el corazón del primer donante compatible.

Addison la miró con incredulidad.

—¿Cómo ha ocurrido?

—No me lo pregunte. No conozco los motivos, pero nuestro jefe se encargó de todos los trámites.

—¿Por qué iba a hacer eso?

—Supongo que hay alguien ahí arriba a quien le caen muy bien.

—¿Cómo se llama su jefe? —le pregunté.

—Es el doctor Lawrence Pyranovich.

Miré a Addison.

—Dele las gracias al doctor Pyranovich —dijo Addison.

—Todavía tenemos que encontrar un donante compatible, por supuesto.

—¿Cuánto tiempo puede aguantar Collin?

—Estos chicos son increíblemente fuertes; pueden resistir a niveles que matarían a un adulto. He visto a niños en sus mismas condiciones aguantar más de una semana. Creo que tiene muchas posibilidades.

Cuando la doctora se marchó, Addison se derrumbó en mis brazos y rompió a llorar.

—Hay posibilidades.

Me resultaba imposible compartir su alegría. Ella me miró.

—¿Qué pasa, por qué no estás contento?

—Tengo que decirte una cosa, pero no quiero hacerlo.

Vi el miedo en sus ojos.

—¿Qué es?

—El día que nos marchamos de tu casa, Collin me contó… —vacilé—. Me dijo que moriría antes de Navidad.

Addison me miró fijamente.

—¿Por qué dijo eso?

—Me contó que tu padre vino a verle y se lo dijo.

Ella se tapó los ojos con la mano y empezó a llorar.

—Lamento no habértelo contado antes. Collin me hizo prometer que no te lo diría.

Addison empezó a sollozar. Cuando recuperó la compostura suficiente para hablar, dijo:

—Lo sabía. Ya lo sabía. Lo que pasa es que no quería creérmelo. —Me miró a los ojos—. Necesitaba oírselo decir a él.

Las enfermeras comprobaron las constantes vitales cada diez minutos durante toda la noche. A eso de las dos y media de la madrugada una enfermera retiró la máscara de oxígeno y la sustituyó por una sonda nasal de dos vías. Collin se despertó sobre las cuatro de la madrugada. Addison se había quedado dormida y la sacudí levemente. Me miró.

—Está despierto —susurré.

Ella se acercó a la cama. Madre e hijo se miraron a los ojos.

—Hola, hombrecito.

Collin no dijo nada. Al cabo de diez minutos volvió a cerrar los párpados. Llevé una silla junto a la cama y Addison se sentó y se lo quedó mirando. Al cabo de otros veinte minutos volvió a abrir los ojos. Esta vez Addison se levantó y le apretó la mano.

—Collin, tengo que preguntarte una cosa.

El niño la miró fijamente.

—¿Puedes oírme?

Él asintió muy despacio con la cabeza.

Ella tragó saliva.

—¿Se supone que tienes que morir?

El niño parpadeó varias veces. Asintió. Addison cerró los ojos y respiró hondo.

—¿Estás seguro?

Collin asintió de nuevo.

—¡Oh, cariño! —le acarició la mejilla.

Yo agaché la cabeza.

—Está bien —Addison irguió la espalda y se volvió hacia mí—. Dile a la doctora Berg que firmaré la ONR.

—¿Quieres que traiga a Elizabeth?

Addison asintió. Encontré a la doctora Berg y se lo dije; ella no entendió el cambio de parecer de Addison. Luego volví a bajar a la sala de espera. Elizabeth estaba estirada en una hilera de asientos, con la cabeza apoyada todavía en el regazo de Miche, que se hallaba ladeada, durmiendo. La desperté con suavidad.

—Tengo que llevarme a Elizabeth ahora.

—¿Ha llegado el momento?

—No lo sé.

Tomé a la niña en brazos. Se despertó en el ascensor.

—¿Puede Collin volver a casa?

Fui incapaz de responderle. Dejé a Elizabeth en el suelo en la entrada de la UCI y nos acercamos a la cama de Collin. Addison se volvió hacia nosotros.

—Ven aquí, Lizzy.

Elizabeth sabía más cosas de las que creíamos. Fue hacia la cama y metió la mano entre los barrotes para tocar a su hermano.

—Hola, Collin.

Él la miró. No hablaron.

—Te quiero —dijo la niña, que apoyó la cabeza en los barrotes.

Le puse la mano en el hombro a Addison.

—¿Ha venido la doctora Berg?

Asintió con la cabeza.

Ahora ya no podíamos hacer nada más que esperar.

Transcurridos unos veinte minutos, un joven médico de cabello oscuro que llevaba una bata blanca arrugada entró en la habitación de Collin. Se agachó al lado de Addison.

—¿Señora Park? En la habitación contigua a la de su hijo hay una mujer. Su esposo y ella sufrieron un accidente de coche. El marido ingresó cadáver y ella tiene una hemorragia interna que no podemos detener. Va a dejar a cuatro niños.

Addison lo miró con tristeza.

—¿Por qué me lo cuenta?

—Sé quién es su hijo.

Addison bajó la vista un momento y luego miró a sus hijos.

—Ven aquí, Lizzy —dijo.

Elizabeth regresó con su madre.

—¿Quieres sostenerla? —Me pidió Addison y cargué a Elizabeth en el regazo. Addison se levantó y se acercó a su hijo—. Collin, ¿sabes lo que quiere este doctor?

El niño asintió.

Los ojos de Addison volvieron a llenarse de lágrimas.

—Haré lo que quieras que haga.

Collin la miró intensamente. No vi ni oí que dijera nada, pero al cabo de un momento vi que Addison respiraba hondo.

—De acuerdo, cariño. —Se volvió a mirar al médico—. ¿Puede traerla aquí?

—Sí. —El médico salió de la habitación y regresó al cabo de un momento con una enfermera que empujaba una camilla con ruedas. La joven tumbada en ella estaba inconsciente y tenía la piel pálida, casi como la cera. Situaron la camilla junto a la cama de Collin—. Dígame qué tengo que hacer —le dijo el médico a Addison.

—Sólo tiene que tocarla.

Addison fue al otro lado de la cama. El médico bajó la baranda lateral de la camilla de la mujer y después la de la cama de Collin. Cogió la mano de la mujer y la colocó debajo de la del niño, que cerró los ojos. Durante un momento no ocurrió nada. De pronto, la mujer empezó a sacudirse con tanta violencia que la camilla traqueteó.

La enfermera se santiguó. La moribunda abrió los ojos y soltó un fuerte gemido. Miró al techo y a continuación se volvió a mirar a Collin.

—Eres tú.

Collin tenía los ojos cerrados y su respiración era cada vez más fatigosa.

—Este niño… —Lo miró, respirando con dificultad—. No puedes salvarte a ti mismo, ¿verdad? —Se volvió a mirar a Addison—. ¿Es usted su madre?

Addison no podía hablar, pero sus lágrimas eran respuesta suficiente.

—Lo vi. En lo alto de esta habitación. Era glorioso. La luz que lo rodeaba era gloriosa. —Se le llenaron los ojos de lágrimas. Recorrió la habitación con la mirada—. Ninguno de ustedes lo vio, ¿verdad? —Volvió a mirar a Addison a los ojos—. Lo siento. Sé lo que ha hecho este niño. Lo lamento muchísimo.

—Para nosotros ya era demasiado tarde —dijo Addison.

No había pasado ni un minuto cuando las máquinas en torno a la cama de Collin empezaron a pitar furiosamente. De pronto el niño desvió la mirada hacia la esquina de la habitación. Movió los labios. Addison se inclinó sobre la cama.

—¿El abuelo está aquí? —Miró hacia el lugar en el que Collin había fijado la vista y lo supo—. Por favor, papá, no te lo lleves. —Entonces volvió a mirar a su hijo, acariciándole el delicado rostro con la mirada, captando una última imagen que pudiera conservar el resto de su vida. Apoyó la mejilla en la del niño y susurró—: Gracias por dejarme ser tu madre. Te quiero. Siempre te querré. —Volvió la mirada a la esquina de la habitación—. Cuida de mi pequeño.

No se dijo nada más. En algún instante, en medio del amor y el dolor del momento, Collin nos dejó atrás tranquilamente.

▣ EPÍLOGO ▣

Enterramos a Collin el día después de Navidad. No hubo periodistas, ni cámaras, ni multitudes. Sólo unos cuantos nos congregamos en torno a su ataúd.

Ya han pasado cuatro años desde esa Navidad. Un millar de nuevos amaneceres. Y cada día que pasa el mundo es un poco distinto.

Addison y yo nos casamos la primavera siguiente. Aunque hemos llorado mucho nuestra pérdida, ésta ha unido más a nuestra familia, y cada año nos ha llevado a un nuevo nivel de aceptación y quizás incluso de comprensión.

▣

El 7 de enero regresé a WorldMusic como nuevo jefe de seguridad. Aunque Miche y Martsie cumplieron su palabra, algunas de las otras mujeres de la oficina no fueron tan indulgentes. Cuando faltaba una semana para Navidad, suspendieron de su empleo a Stayner y luego lo despidieron. Poco después su esposa se separó de él.

Ahora que ya no tengo que viajar más, me he convertido en una persona hogareña. Incluso tengo un jardín. Al final decidí que *Earl* no iba a irse a ninguna parte, así que le compré una pecera nueva. Murió a la semana siguiente.

Tengo una nueva secretaria en el trabajo. Resulta que Miche me dejó. Abandonó su empleo para tener a su bebé: un niño sano al que ha llamado Collin. Como él dijo una vez, él sólo podía curar a los que amaba. Miche nos trae a su pequeño más o menos una vez a la semana para que Addison y yo lo veamos. Dentro de unos cuantos años Elizabeth será lo bastante mayor como para hacer de canguro. La vida completa el círculo.

Como es lógico, Steve perdió su empleo en el bufete. Se mudó al este, aunque creo que sería más apropiado decir que huyó. Ahora es un simple picapleitos de accidentes y su rostro sonriente está en vallas publicitarias prometiendo riqueza en lugar de dolor. Todavía no ha llevado a Elizabeth a Disneylandia.

Unas cuantas semanas después de Año Nuevo leí la esquela de Riley Franzen en la página de negocios del *Tribune*. Así son las cosas.

Ahora visito a mi madre una vez al mes. Ojalá pudiera decirles que un medicamento milagroso curó su demencia. Pero en realidad la vida no es así, al menos no sin Collin. Pero mis sentimientos hacia ella han cambiado. Y eso es más de lo que podía esperar.

Durante los últimos cuatro años he reflexionado muchas veces sobre los acontecimientos de aquella Navidad y he llegado a la siguiente conclusión: a lo largo de la historia ha habido personas extraordinarias que no parecen pertenecer a esta tierra. Personas como Gandhi, Sócrates y Jesús. El mundo nunca sabe qué hacer con estos personajes. Por norma general, los matamos. Entonces, al cabo de años o siglos de su muerte, los aceptamos y empezamos a aprender. Somos seres peculiares. Lapidamos a nuestros profetas, y cuando ya no están, les construimos monumentos.

Creo que Collin era una de esas almas. Y no importa si no llegó a tener el impacto global de Gandhi. Él cambió nuestro mundo.

Podíamos haber aprendido muchas cosas de él, sobre el otro mundo o incluso sobre el potencial de éste. En algunos aspectos, Collin se convirtió en el lienzo sobre el que pintamos nuestras almas: bajo el resplandor de la luz o en la oscuridad, tomando los colores de la paleta de nuestros deseos. He llegado a aprender que lo que queremos en la vida es el mayor indicio de quiénes somos en realidad.

Todos necesitamos que nos curen. Y mientras nuestro mundo se gasta cada año miles de millones de dólares en pastillas y remedios, todo es una sombra de lo que más necesitamos. ¿De qué sirve prolongar una vida si con ello sólo se alarga la cobardía y el pecado? ¿De qué sirve un corazón nuevo si sólo va a llenarse de odio o resentimiento? ¿O unos nuevos ojos, si lo único que pueden ver es la intolerancia? Son preguntas que todos deberíamos hacernos. Quizás el corazón artificial sea una metáfora perfecta de nuestra época.

Creo que lo más sorprendente de Collin no era su don, sino más bien su decisión de utilizarlo. Él me curó, no solamente la bronquitis o incluso el Tourette, sino de un modo mucho más profundo. Pues la mejor cura física no es más que un retraso de lo inevitable. Todos llegamos a la tierra con un billete de vuelta y algún día todos tendremos que ir al «otro lugar». Collin me brindó algo eterno. Me devolvió el alma.

La vida continúa. Addison y yo nos enfrentamos a ella día a día mientras criamos a nuestra pequeña. Elizabeth tiene ahora nueve años, la misma edad que tenía Collin cuando nos abandonó. Su muerte dejó un vacío en muchos corazones, pero quizás en el suyo más que en ningún otro. Él era su mejor amigo, su héroe y su hermano. Su rebeldía ha desaparecido, así como su frivolidad. Pasaron más de seis meses antes de que volviera a oírla reír. Hoy es una niña dulce y amable.

Al principio dije que ésta no era una historia de Navidad. Quizá me equivocara. Una noche, hará unos seis meses, mientras la metía en la cama, Elizabeth me dijo que Collin había ido a verla en un sueño.

«No llores tanto —le dijo—. Al final triunfa el amor.»

No podía haber un mensaje de Navidad mejor que aquél.

SOBRE EL AUTOR

Cuando Richard Paul Evans se sentó a escribir *La caja de Navidad*, nunca imaginó que su libro se convertiría en un número uno en ventas. El sobrio relato sobre el amor de los padres y el verdadero significado de la Navidad hizo historia cuando se convirtió al mismo tiempo en el número uno del país tanto en edición de tapa dura como en rústica. Desde entonces ha escrito once obras que han entrado en las listas de superventas del *New York Times*. Es uno de los pocos autores cuyas obras han entrado en las listas de los más vendidos tanto de ficción como de no ficción, y ha ganado varios premios por sus libros, incluyendo el American Mothers Book Award en 1998, dos primeros puestos del Storytelling World Award y el Best Women Novel of the Year Award de la revista *Romantic Times* en 2005.

Cuatro de los libros de Evans se han transformado en importantes producciones televisivas protagonizadas por actores tan aplaudidos como Maureen O'Hara, James Earl Jones, Richard Thomas, Ellen Burstyn, Naomi Watts, Vanessa Redgrave, Christopher Lloyd y Rob Lowe.

Durante la primavera de 1997 Evans fundó The Christmas Box House International, una organización dedicada a construir refugios y a proporcionar servicios para niños desatendidos o víctimas de abusos. Estos refugios funcionan en Moab, Vernal, Ogden y Salt

Lake City, Utah. Hasta la fecha las instalaciones de The Christmas Box House han albergado a más de 13.000 niños. Además, su libro *El girasol* fue el factor que motivó la creación de The Sunflower Orphanage en Perú. A Evans se le concedió el Volunteers of America National Empathy Award y el Humanitarian of de Century Award del *Washington Times*. Evans es también fundador y director ejecutivo de BookWise, un negocio internacional de venta directa.

Como elogiado orador, ha compartido el estrado con personalidades tan notables como el presidente George W. Bush, el ex presidente George y Barbara Bush, el anterior primer ministro británico John Major, Ron Howard, Elizabeth Dole, Deepak Chopra, Steve Allen y Bob Hope. Evans ha aparecido en *The Today Show* y en *Entertainment Tonight*, así como en *Time*, *Newsweek*, *People*, *The New York Times*, *Washington Post*, *Good Housekeeping*, *U.S.A. Today*, *TV Guide*, *Reader's Digest* y *Family Circle*.

En la actualidad vive en Salt Lake City, Utah, con su esposa, Keri, y sus cinco hijos.

Inscríbase en la lista de correo de Richard y recibirá gratis guías de debate para grupos de lectura, datos actualizados sobre sus libros y giras, anticipos especiales de próximos proyectos y otras ofertas especiales sólo disponibles para los miembros de su lista de correo.

Para inscribirse, visite la página web de Richard en:

www.richardpaulevans.com

2/10 Ø.
12/12 (1) 5/12
1/1 5(1) 5/12
10/18 (5) 10/17.